VOCES REUNIDAS
Entrevistas con poetas
de Baja California

Gabriel Trujillo Muñoz
Adolfo Soto Curiel

Coordinadores de la *Colección New Borders / Nuevas Fronteras*
Édgar Cota Torres / Universidad de Colorado, Colorado Springs
José Salvador Ruiz Méndez / Imperial Valley College
Gabriel Trujillo Muñoz / Universidad Autónoma de Baja California
Rafael M. Rodríguez Ríos / Editorial Artificios

Todas las entrevistas que componen el presente volumen fueron realizadas por Gabriel Trujillo Muñoz

Primera edición: Abril de 2017
D.R. ©University of Colorado Colorado Springs
D.R. ©Universidad Autónoma de Baja California
D.R. ©Editorial Artificios
Abelardo L. Rodríguez 747 Col. Mtros. Federales
C.P. 21370 Mexicali, Baja California México

Edición, formación y diseño editorial: Elba Cortez y Rafael Rodríguez
Diseño de portada: Editorial Artificios

Impreso y hecho en México

VOCES REUNIDAS
Entrevistas con poetas de Baja California

Gabriel Trujillo Muñoz
Adolfo Soto Curiel

University of Colorado
Colorado Springs

UNIVERSIDAD AUTÓNOMA DE BAJA CALIFORNIA
FACULTAD DE CIENCIAS HUMANAS

UNIVERSITY OF COLORADO COLORADO SPRINGS

Dr. Peter Braza
Dean College of Letters, Arts and Sciences

Dr. Teresa Meadows
Chair and Associate Professor
Department of Languages and Cultures

Dr. Édgar Cota Torres
Associate Professor
Department of Languages and Cultures

Dr. Fernando Feliu-Moggi
Associate Professor
Department of Languages and Cultures

Tim McDonnell
Program Assistant
Department of Languages and Cultures

Agradecemos a las siguientes personas y comités de la Universidad de Colorado, Colorado Springs por el apoyo y fondos otorgados para que este proyecto sea una realidad: Dra. Teresa Meadows, Directora, Department of Languages and Cultures; Dr. Peter Braza, Decano de College of Letters, Arts and Sciences; Dr. Kee Warner, Vice Rector Asociado de Diversidad e Integración; Dr. Michael C. Larson, Vice Rector Asociado de Investigación; Comité Faculty Minority Affairs (FMAC) y a Commité Women. También agradecemos a la Dra. Julia Cuervo Hewitt, Associate Professor of Spanish, The Pennsylvania State University.

We thank the following people and committees of the University of Colorado, Colorado Springs for the support and funding provided for this project: Dr. Teresa Meadows, Chair, Department of Languages and Cultures; Dr. Peter Braza, Dean College of Letters, Arts and Sciences; Dr. Michael C. Larson, Associate Vice Chancellor for Research; Faculty Minority Affairs Committee (FMAC) and Women's Committee. We also want to thank Dr. Julia Cuervo Hewitt, Associate Professor of Spanish, The Pennsylvania State University.

Agradecemos a la Universidad Autónoma de Baja California por su apoyo para la realización de este proyecto editorial. Especialmente, al Dr. Juan Manuel Ocegueda Hernández, Rector de la Universidad, al Dr. Hugo Edgardo Méndez Fierros, Secretario de Rectoría e Imagen Institucional, al Dr. Jesús Adolfo Soto Curiel, Director de la Facultad de Ciencias Humanas, y a la Mtra. Laura Figueroa Lizárraga, Jefa del Departamento Editorial, por las facilidades brindadas para hacer posible la publicación de las obras.

We thank Universidad Autónoma de Baja California for the support and funding for this editorial project. Special thanks to Dr. Juan Manuel Ocegueda Hernández, University Chancellor, Dr. Hugo Edgardo Méndez Fierros, Secretary of the Office of the Chancellor and Institutional Image, Dr. Jesús Adolfo Soto Curiel, Director of the Faculty of Human Sciences and to Laura Figueroa Lizárraga, M.A., Director of the Editorial Department. Thanks to their support this project has been accomplished.

Édgar Cota Torres.
José S. Ruiz Méndez.
Gabriel Trujillo Muñoz.
Rafael M. Rodríguez Ríos.
Coordinadores de la Colección
New Borders / Nuevas Fronteras.

*Reside en la naturaleza del escritor
el deseo de hacerse escuchar.*
Ingeborg Bachmann.

Voces reunidas, palabras compartidas

La poesía bajacaliforniana: épocas, voces, movimientos
Como buena parte de la literatura del interior del país, la poesía bajacaliforniana está llena, desde el siglo XIX, de poetas cívicos y de poemas que celebran sus riquezas naturales, paisajes, historia y personajes del pasado. Si leemos estos textos, realizados con el afán pedagógico de instruir sobre nuestras fortalezas y expuestos declamatoriamente en festejos comunitarios, nos encontramos con poemas que muestran, sin ambages, el orgullo de ser parte de nuestra entidad como proyecto de vida, programa de gobierno y ejemplo a seguir. Si hay una historia de bronce en Baja California, lo mismo puede decirse de la poesía bajacaliforniana en sus comienzos: ambas buscan levantar monumentos a lo propio, edificar una versión del mundo que pase por lo regional, conmemorando de esa manera, con versos enfáticos y grandilocuentes, la historia y mitos de nuestra entidad tanto como sus circunstancias existenciales. Poetas como Pedro N. Ulloa, Josefina Rendón Parra, Límbano Domínguez o María Luisa Melo de Remes se atuvieron a una poesía didáctica o modernista para exponer su canción del progreso para el público de la entidad, una canción dirigida en especial a las jóvenes generaciones y como un aliciente para que sus escuchas y lectores apreciaran la historia regional y las singularidades de la naturaleza peninsular como parte de un orgullo comunitario.

En todo caso, lo que la poesía bajacaliforniana, la que se escribe de principios del siglo XX a los años setenta de esta misma centuria, pretende ofrecer una unidad regional acudiendo al amor a la matria, al relato edificante, a la crónica de héroes y villanos en plan inspirador de conductas sociales. Es un servicio necesario para una sociedad de frontera, para una comunidad de pioneros que levanta, en pocos años, una entidad productiva a 3,500 kilómetros del centro del país. De ahí que los poetas fronterizos se presenten como cantores de las bellezas, sin olvidar poner los puntos sobre las íes de la realidad bajacaliforniana que ellos mismos experimentaban en carne propia, como sucede con poetas como Jesús Sansón Flores, los hermanos Facundo y Francisco Bernal y Horacio Enrique Nansen, que unen en sí el culto a las musas y el prurito periodístico en sus poemas, el canto elocuente del declamador sin maestro y la crónica de acontecimientos coyunturales.

La poesía que escudriña la realidad circundante nace no como una obligación cívica o educativa sino como un punto de vista personal acerca de los asuntos de la realidad más cercana a sus autores, más acuciante a su conciencia ciudadana. Por ello, la poesía que acepta el papel de espejo del mundo fronterizo bajacaliforniano no surge de las aulas escolares o de los concursos celebratorios locales. El espacio idóneo para esta clase de poesía son las tertulias literarias y las salas de los periódicos, ya que sus principales creadores son los poetas-periodistas que aparecen en el Distrito Norte de la Baja California a partir del último cuarto del siglo XIX y que van a tener un auge inusitado, como cronistas de la vida pública bajacaliforniana a partir de 1920 en adelante. Y, por lo mismo, sus principales representantes serán poetas de vocación y periodistas de oficio, como los hermanos Facundo y Francisco Bernal, Pedro F. Pérez y Ramírez, Horacio Enrique Nansen y Jesús Sansón Flores, quienes entre 1923 y 1966 darán a conocer, en forma de poemas, sus opiniones de una sociedad en cambio permanente, de un mundo fronterizo donde todo es novedad y sorpresa, copia y creación, mezcla y fricción perpetua.

En generaciones más recientes, la poesía bajacaliforniana pasa a poetas con tendencia a la rebeldía social, a la oposición ante los acontecimientos del estado, del país o del mundo, sí, pero también se impone búsquedas en espacios creativos como el lenguaje, la filosofía, la historia personal. El punto de vista de estos nuevos poetas que van apareciendo hacia los años setenta del siglo XX en adelante, deja de ser periodístico y se transforma en algo simplemente literario: una crónica de la realidad desde las márgenes de la cultura oficial, como un acto autónomo donde el poeta se vuelve un reactivo del mundo que lo rodea, un testigo de cargo de sus propias apetencias y conflictos, un autor que dialoga con la poesía mexicana contemporánea, con la poesía universal sin concesiones ideológicas, sin más interés que expresar la condición humana en todas sus aristas y reflejos. Esto ya es visible en un poeta tan temprano como Fernando Sánchez Máyans (1925-2007), que responde desde su juventud tijuanense a la lectura de los poetas del grupo Contemporáneos con poemas que rompen con los esquemas pragmáticos de la poesía local y asume un compromiso con el lenguaje como nunca antes se había visto.

Los poetas bajacalifornianos de las últimas décadas del siglo XX y las primeras del siglo XXI, ya sea que provengan de la creación autodidacta, pertenezcan a la generación de los talleres de creación literaria o sean hijos de las escuelas de letras, responden a una libertad creativa que los lleva del rigor estilístico al verso libre, de lo anecdótico a lo épico, de lo fronterizo a lo global, de lo barroco al verso experimental. Estos poetas pueden oscilar del culto a lo regional a verse como oficiantes de una tarea que no conoce fronteras, nacionalismos o verdades imbatibles. Cada uno es una voz a la intemperie y, al mismo tiempo, es una escritura que crea sus propios padres fundadores, sus propios orígenes. Pero lo principal no es qué tanto estos poetas se atengan a una estirpe poética reconocible sino cuáles son sus apuestas literarias de cara al futuro, qué tienen que decirnos, desde qué nivel de la realidad -la torre impenetrable, la calle bulliciosa, la cátedra posmoderna, la comunidad virtual- expresan su ser-ahí-en-el mundo.

Estamos en una etapa de diversidades, confrontaciones y contrastes que ofrecen múltiples posibilidades de creación. Cada poeta es un mundo y una poética. Basta con mencionar a poetas como Víctor Soto Ferrel, Roberto Castillo y Luis Cortés Bargalló de los nacidos a mediados del siglo XX, o a poetas nacidos décadas más tarde, como Fernando Linares, Heriberto Yépez, Luis Alfredo Gastélum y Patricia Blake, para apreciar la riqueza de propuestas que representan, para entender sus obras como explicaciones de una escritura que interroga, analiza, canta o critica la existencia misma en que estos poetas viven como la realidad de los textos que escriben. De ahí que la poesía se vuelva, de cara a sus lectores, un bravo mundo nuevo, un cosmos donde todo está por ocurrir, un mapa lleno de dragones por descifrar, de prodigios por difundir.

El largo camino hacia la casa de la poesía

Si podemos contemplar el desarrollo de la poesía previo al establecimiento del estado de Baja California en 1952, hay que considerar que tres son los poemarios que nos sirven para marcar su evolución: *Palos de ciego* (1923) de Facundo Bernal, una síntesis afortunada de la poesía con la crónica periodística, citadina, fronteriza; *Cadenas* (1933) de Pedro F. Pérez y Ramírez, un breve compendio donde se entrelaza la poesía social y el culto vertiginoso del estridentismo norteño y *Pausa al silencio* (1950) de Fernando Sánchez Mayans, poemario que inaugura, para Baja California, una poesía contemporánea y vital, donde el yo poético se refleja en un verso reflexivo y libre de ataduras conceptuales. Lo que aparece, en las siguientes décadas, es una constante mutación de la poesía que a veces se vuelca en el canto épico de lo propio, ya sea la naturaleza en estado puro o la vida en la frontera; o responde a las nuevas realidades culturales con una poesía coloquial, urbana, para expresar sus dolencias, gozos y utopías; o se nutre de la tradición nacional para renovarla desde las vías abiertas por el grupo de los Contemporáneos, Octavio Paz, Rosario Castellanos y José Emilio Pacheco, entre tantos otros poetas mexicanos.

En términos culturales, los poetas bajacalifornianos del momento de la creación del estado libre y soberano de Baja California, es decir, de mediados del siglo XX, enfrentaban una situación problemática: la sociedad bajacaliforniana que inauguraba su estatidad reflejaba ciertos valores compartidos: su culto al trabajo, su pragmatismo y utilitarismo, su desarraigo cultural por ser una comunidad formada por sucesivas y continuas olas de migrantes. Una sociedad que carecía de estímulos artísticos ante una realidad hostil por parte de la naturaleza (Mexicali) o que vivía en la vorágine del comercio y los servicios, legales e ilegales, para agasajar al turismo extranjero (Tijuana y Ensenada). En todo caso, se vivía con la certeza de que el trabajo era el eje esencial de la vida comunitaria y todo lo demás salía sobrando, especialmente las manifestaciones artísticas que, por su grado de elaboración técnica o su contemporaneidad conceptual, no encuadraban en la visión directa, sin sutilezas ni retruécanos, que se ponderaba como la actitud norteña, fronteriza, de los bajacalifornianos.

Una nueva época da comienzo en la segunda mitad del siglo XX y eso también va a transformar el cultivo de la literatura en el estado. Aquí, sin duda, la educación se va a convertir en un factor esencial de cambios políticos, sociales, intelectuales y artísticos en la propia entidad. Es necesario recordar que en todos los campos del saber y de la creación artística, los jóvenes talentos debían optar por partir de la entidad para seguir sus estudios en talleres y escuelas de arte del interior del país, así como en universidades de la ciudad de México, Monterrey o Guadalajara. En el caso de los creadores, en estos años (1950-1970), al faltar espacios educativos para sus búsquedas expresivas, muchos jóvenes poetas se tuvieron que trasladar fuera de la entidad para seguir creciendo y madurando verso tras verso.

Es en la década de los años sesenta del siglo XX que los escritores bajacalifornianos comienzan a tener una presencia social nunca antes vista. En 1965, Rubén Vizcaíno funda la Asociación de escritores de Baja California, cuyos

Presentación

años de auge llegarán hasta 1968. A la vez se fundó la editorial Californidad, donde muchos de estos autores publicaron y en 1967 se dio inicio a la publicación de la revista *Letras de Baja California*, bajo la dirección de Miguel Ángel Millán Peraza. De esa generación que surge a la par que se funda el estado libre y soberano de Baja California y que tiene, como marca creativa, la de impulsar una poesía nacionalista, revolucionaria, pero también una creación poética que habla a nombre de nuestra entidad y de su gente, de sus valores, usos y costumbres, para establecer una visión personal de nuestra comunidad, hay que mencionar a su representante aún vivo: Valdemar Jiménez Solís (Mexicali, 1926), quien sigue escribiendo y publicando hasta nuestros días. Su poemario *¡Grito! Clamor desesperado* (1973) invoca, desde la cultura normalista de su tiempo y circunstancia, el canto a la matria, el saludo vehemente de lo propio con orgulloso estruendo, con clamorosa rectitud.

Por las mismas fechas, entre los años sesenta y setenta del siglo XX, en Baja California aparece la primera generación de escritores contemporáneos. Son la generación de la ruptura, los poetas y narradores que se caracterizan por el uso del lenguaje coloquial, el verso libre, la libertad expresiva y la rebelión crítica contra las formas establecidas de hacer y de vivir la literatura. De esta generación, signado por los movimientos contestatarios a nivel mundial y el movimiento estudiantil de 1968 a nivel nacional, destacan Eliseo Quiñones, poeta y narrador que muere antes de cumplir los 30 años de edad y cuya obra da el cambio de rumbo decisivo en nuestro medio.

Lo mismo puede decirse de otros poetas como Juan Martínez, Jorge Ruiz Dueñas y Daniel Sada. El primero,

17

Juan Martínez (1933-2009) publica, en 1979, *Ángel de fuego*, un poemario que contiene visiones cósmicas, mientras que Jorge Ruiz Dueñas (1946) publica en 1968 *Espiga abierta*, su primer poemario y años después toma al desierto y al mar bajacalifornianos, filtrados por una sabiduría donde el ser humano es mito e historia, naturaleza desatada. Su obra es el canto de la odisea peninsular desde la epopeya del individuo que crece y madura de cara a los elementos esenciales del mundo en que vivimos. Tales son los temas fundamentales de libros suyos como *Tierra final* (1980), *El desierto jubiloso* (1995), *Carta de rumbos* (1998) y *Las restricciones del cuerpo* (2009). En cuanto a Daniel Sada (1953-2012), estamos ante un poeta vuelto narrador reconocido a nivel internacional.

En 1974, en diciembre de ese año, apareció el libro *Siete poetas jóvenes de Tijuana*, una antología de miembros del taller de la poesía de la UABC, fundado por Mario Arturo en 1972, que vino a marcar una nueva época en la poesía bajacaliforniana con la aparición de creadores de la talla de Luis Cortés Bargalló, Eduardo Hurtado, Víctor Soto Ferrel, Ruth Vargas, Felipe Almada, Alfonso René Gutiérrez y Raúl Rincón Meza. En el prólogo de la misma, escrito por José Jesús Cueva Pelayo, se afirmaba que "en medio de ese egoísmo cabalgante y espurio que denigra a los pueblos, voces nuevas se escuchan y ya siembran inquietudes en el ámbito nacional. Son los jóvenes poetas que, como flores del desierto, empiezan a brotar en esta península de Baja California". En conjunto, pues, la generación de la ruptura tuvo en los años setenta su década de surgimiento y formación, pero sólo en los ochenta y noventa del siglo XX, en el auge de los talleres de creación literaria, es que produce sus obras mayores, sus poemas de madurez. De ella son poetas tan disímiles como Francisco Morales, Gabriel Trujillo Muñoz, Martha Nélida Ruiz, Roberto Castillo, Rael Salvador Vargas, José Javier Villarreal, Elizabeth Cazessús, Lauro Acevedo y María Edma Gómez, entre muchos otros.

En todo caso, es una generación parteaguas que aún tiene mucho que decirnos, que todavía cuenta con un buen camino por andar. La calidad literaria de buena parte de sus integrantes ha sido ya reconocida a nivel nacional y ha hecho que el fin de los años setenta y ochenta sea una época dominada por la poesía en el panorama de la literatura bajacaliforniana. Una literatura fronteriza no simplemente porque los temas fueran fronterizos sino porque se contaba con una conciencia de vivir en la frontera, de ser parte de un escenario límite, de una realidad que reclamaba contarse desde dentro, desde la convivencia cotidiana con el otro, con los otros: migrantes de paso, chicanos y estadounidenses.

La influencia de la generación de la ruptura alcanza, en forma directa, a los literatos que son producto de los talleres de literatura de la UABC (fundados en Tijuana en 1972, en Mexicali en 1981 y en Ensenada en 1985) o del INBA-DAC (a partir de 1980). Y gracias a revistas como *El último vuelo, Hojas, Esquina baja, El oficio, Trazadura, Cifra, Aquilòn, Existir*, etcétera, se da una especie de simbiosis entre distintas generaciones –que en buena medida perdura hasta hoy en revistas como *El Solar* o *Pórtico*–, lo que dará paso a perfiles poéticos más diversos y complejos entre los bardos emergentes de las últimas décadas.

Ahora, ya en pleno siglo XXI, la vida se decanta en el tráfago diario, en la existencia multitudinaria, anónima, en las ciudades bajacalifornianas que surgen como metrópolis constituidas por distintas formas de ser y comportarse, donde la ley de la oferta y la demanda representa el nuevo espíritu de los tiempos globalizados. La frontera aparece más como vínculo integrador de una identidad colectiva, el lenguaje se hace coloquial y las influencias de la contracultura, la disidencia política y la literatura en la red se ejercen como rutas para descifrar los tatuajes y laberintos de la ciudad que estos jóvenes poetas padecen o de esta zona del mundo que disfrutan a sus anchas. Una nueva visión, más directa y menos complaciente, se abre paso por sus versos, se expone como verdades particulares a compartirse entre todos.

En los últimos cuarenta años la poesía bajacaliforniana destaca en su libertad expresiva que revitaliza procedimientos vanguardistas, arcaicos o marginales para exponer las contradicciones mismas del lenguaje poético en su continua desgarradura entre tradición y modernidad, credo y aquelarre, hermetismo y claridad, elocuencia y susurro, conocimiento literario y placer de lo instantáneo. Una poesía cuyo signo mayor es el desplazamiento, la metamorfosis, la mutación gradual o intempestiva conforme cambia el sujeto que la escribe en su tránsito de vida, en sus coordenadas históricas, en sus certezas y dudas como parte de una colectividad que nunca detiene su camino, que nunca está en paz.

Tal vez lo que más le falta a la poesía bajacaliforniana es una crítica especializada que discuta a fondo sus zonas de creación, sus obsesiones temáticas; una crítica que interprete sus distintos discursos a la luz de los tiempos que a cada poeta le ha tocado vivir y que ilumine las circunstancias culturales que han incidido en nuestra lírica más allá de la conocida dicotomía centro-periferia. Por eso son importantes estas entrevistas: porque dan cuenta de los poetas en sus propias posiciones frente a la poesía misma como oficio, experiencia e institución. Lo que cada uno de ellos dice ilumina su trabajo creativo en afanes, trayectos, gustos y tendencias. Que sus voces coincidan o discrepen demuestra que sus opiniones, sus respuestas, sus pensamientos forman parte de un ejercicio democrático donde la poesía es un reactivo poderoso para mostrar, de cara a los interesados en este género literario, sus potencialidades, obstáculos, convicciones y creencias.

Contextos cambiantes, migraciones permanentes

Hoy es fácil reconocer el contexto cultural en que se pone a escribir, en plena Segunda Guerra Mundial y con la influencia del cardenismo aún retumbando en la conciencia social fronteriza, un poeta como Valdemar Jiménez Solís y el contexto actual, pleno de violencias, horrores y fricciones políticas, en que hoy escriben los poetas aquí entrevistados, especialmente los más jóvenes, como Heriberto Yépez, Patricia Blake o Luis Alfredo Gastélum. La poesía bajacaliforniana es, sin duda, una tradición que se fundamenta en la vida como límite, en la literatura como proyecto privado con repercusiones sociales.

Los poetas de la entidad, que aparecen de 1968 hasta nuestros días, tanto si viven en Baja California como si emigraron a otras latitudes, experimentan una identidad que a veces apuesta por la visión cosmopolita, que se adhiere a la tradición nacional del interior del país y, en otras ocasiones, voltean hacia los Estados Unidos para ponerse a dialogar con las nuevas fuerzas expresivas que se abren paso en la poesía contemporánea más experimental, menos elitista, desde los poetas beats hasta la poesía visual y la poesía hablada en su rama perfomancera. Todo es válido si es legítimo, si se percibe como una voz auténtica en sus versos, en sus palabras.

Pero tal vez el elemento más sintomático de la poesía bajacaliforniana esté en que muchos de sus poetas nativos se han quedado en el estado para hacer su obra desde sus respectivas comunidades (Valdemar Jiménez Solís, Elizabeth Cazessús, Rael Salvador, Raúl Linares), mientras que otros se han ido a trabajar, a hacer sus vidas en otras partes de México o del mundo (Jorge Ruiz Dueñas, Luis Cortés Bargalló, José Javier Villarreal, Martha Nélida Ruiz). Algunos han hecho el viaje de ida y vuelta como flamantes hijos pródigos que han vuelto a casa después de una temporada en el infierno-paraíso de otras metrópolis o naciones (Gabriel Trujillo Muñoz, Víctor Soto Ferrel, Jorge Ortega, Heriberto Yépez). Como sea, cada aventura personal ha impactado en su trabajo poético y les ha dado perspectivas diferentes del verso que practican, de los temas que tocan, del lenguaje que utilizan.

No hay que dejar de lado los flujos migratorios que siguen enriqueciendo a la literatura bajacaliforniana desde sus orígenes. Si en la primera mitad del siglo XX llegaron a estas tierras poetas venidos de Sonora (los hermanos Facundo y Francisco Bernal), Chiapas (Límbano Domínguez), Guanajuato (Pedro F. Pérez y Ramírez), Jalisco (Julio Armando Ramírez Estrada y Miguel de Anda Jacobsen), Michoacán (Jesús Sansón Flores) y Colima (Rubén Vizcaíno Valencia), para las generaciones posteriores estas rutas se hacen permanentes y ahora contamos con poetas provenientes de Durango (Lauro Acevedo, Víctor Soto Ferrel), Sonora (Patricia Blake), Sinaloa (Luis Alfredo Gastélum) o la propia ciudad de México (María Edma Gómez), más aquellos ya fallecidos, como el defeño Luis Pavía (1942-1998) o el poeta zacatecano Eduardo Arellano (1959-2004), que tanto enriquecieron nuestras letras.

Este fecundo encuentro de visiones y experiencias termina por enriquecernos a todos, pero especialmente enriquece a la poesía bajacaliforniana en su conjunto, dándole un sentido de aventura y asombro que surge en muchos poemas y poemarios de nuestra entidad, donde el descubrimiento de nuestro entorno se halla tamizado por las vivencias de otros rumbos y situaciones existenciales, se hace presente en obras que apuntan a difundir la extrañeza del desierto, la frontera, la vida urbana, las metamorfosis contemporáneas en una zona del mundo que nunca es la misma para todos, que siempre está moviéndose más allá de los prejuicios y preconcepciones que podamos tener de ella.

Lo cierto es que aquí, en Baja California, aunque los contextos cambien la migración es un hecho diario, una vivencia cotidiana. Pero, ¿de qué contextos hablamos? De una entidad hecha a sí misma y cuya mayor influencia cultural es su vecindad con los Estados Unidos en lo general y con los estados de California y Arizona en lo particular. Una región del norte mexicano que, a pesar del aislamiento histórico, ha podido conformar una identidad comunitaria, ha logrado en poco más de una centuria pasar de campamentos improvisados a metrópolis modernas, de una cultura nómada a una cultura contemporánea de su tiempo y circunstancia. A pesar de las distancias enormes con el centro del país, los poetas bajacalifornianos siempre han mantenido un diálogo con la literatura estadounidense y con la mexicana por igual, dando lugar a una poesía libre, audaz, expresiva, enterada y puesta al día.

Una poesía que lo mismo admite lo propio y lo ajeno, que se ha nutrido lo mismo de Xavier Villaurrutia, Octavio Paz, Homero Aridjis y José Emilio Pacheco que de Allen Ginsberg, Wallace Stevens, Thomas S. Eliot y Silvia Plath. Una poesía que exhibe sin medias tintas lo fronterizo y lo universal, los saberes tradicionales y los experimentos más radicales, la vida como nostalgia y la vida como canto del porvenir. Y esto ha llevado a que muchos poetas de la entidad sean reconocidos en antologías nacionales. El caso más reciente es la *Antología general de la poesía mexicana* (2012-2014), una obra canónica de dos tomos en la que aparecen varios poetas bajacalifornianos, seleccionada por el poeta Juan Domingo Argüelles, como Jorge Ruiz Dueñas, Luis Cortés Bargalló, Gabriel Trujillo Muñoz, José Javier Villarreal, Jorge Ortega, Heriberto Yépez y Carlos Adolfo Gutiérrez Vidal.

Las voces de los poetas

En el desarrollo de nuestras letras, la poesía bajacaliforniana se ha impuesto la tarea de abrir brecha en la realidad para explorarla a fondo, de hacer visible lo cercano y llevarlo a un plano trascendente, de tomar la materialidad escueta de lo natural y transformarla en elemento cultural, en postura social, en lenguaje de claridad. Si vemos a nuestra poesía desde el plano editorial tenemos que admitir que pocas son las antologías que la consignan como

Presentación

un todo, pues las antologías por ciudad son las más visibles. Ahí están *Siete poetas jóvenes de Tijuana* (1974) de Jesús Cueva Pelayo, *El margen reversible. Poesía* (2002) de Carlos Adolfo Gutiérrez o *La palabra en el desierto* (2004) de Karla Mora.

De las antologías poéticas que abarcan a toda la entidad sólo pueden mencionarse tres hasta la fecha, ninguna de las cuales tiene menos de dos décadas de haberse publicado. Estas tres son: *Parvadas. Poetas jóvenes de Baja California* (1985) y *Un camino de hallazgos. Poetas bajacalifornianos del siglo XX* (1992), ambas compiladas por Gabriel Trujillo Muñoz, y *Baja California. Piedra de serpiente* (1993) de Luis Cortés Bargalló, de cuyos dos tomos uno está dedicado exclusivamente a la poesía.

En cuanto a libros de entrevistas, los únicos que han sido publicados son *La lengua del camaleón* (1990), compilado hace más de un cuarto de siglo por Gabriel Trujillo Muñoz, donde se entrevista a poetas, narradores y ensayistas mexicalenses, y *En voz propia voz. Entrevistas a narradores bajacalifornianos* (2014) de Édgar Cota y José Salvador Ruiz, que como su título lo indica se decanta por entrevistar a novelistas y cuentistas de nuestro estado. De ahí, de esa ausencia por escuchar la voz de los poetas de nuestra entidad, es que nace este libro titulado *Voces reunidas. Entrevistas a poetas bajacalifornianos.*

No todos los poetas, por cuestiones personales o por falta de tiempo, pudieron acudir al llamado. De los muchos poetas invitados algunos se excusaron de participar. Pero de los que respondieron, en la suma de sus contestaciones, conforman un vasto conjunto de visiones sobre el ejercicio poético, sobre la relación entre el ser poetas en

25

nuestra entidad y la sociedad de la que forman parte, sobre la vida y sus reflejos en su obra de creación. Creo que aquí, en sus respuestas, sobresale una fe en el ejercicio de la poesía como vocera de sus personas y como espíritu fiel de su comunidad.

Como el libro de Cota y Ruiz, *Voces reunidas* se inscribe en la colección New Borders/Nuevas fronteras, editada entre la UABC, la Universidad de Colorado en Colorado Springs, el Imperial Valley College y la editorial Artificios. En esta ocasión hemos contado con el apoyo irrestricto y generoso de la Facultad de Ciencias Humanas de la UABC y de su director, Adolfo Soto. Como todo libro de entrevistas a poetas, su objetivo es preguntar qué significa escribir versos en nuestra época, cuál es la finalidad de la poesía en un mundo tan proclive a la destrucción masiva, a la inhumanidad en todas sus formas, qué implica vivir y escribir como poeta en la frontera o como autor bajacaliforniano radicado en otras regiones del país, y cómo esta actividad creativa ayuda a lidiar con una realidad tan ominosa y, a la vez, tan asombrosa como la nuestra.

Si quieren escuchar las respuestas de nuestros/as poetas, sus voces reunidas, sus palabras compartidas, sus opiniones contrastantes, por favor, sigan leyendo este libro. Estoy seguro que no los defraudará.

Gabriel Trujillo Muñoz.

Valdemar Jiménez Solís

¿Qué te llevó a la escritura poética? ¿Qué te hizo poeta? De tus primeros versos a los actuales, ¿qué ha cambiado en tu forma de escribirlos? Hoy en día, ¿cuál es tu relación con el lenguaje poético, con lo que quieres decir a través de tu poesía?

La lectura desde la infancia, de por más de diversos poetas nacionales y extranjeros (Neruda, Darío, Mistral, etc.) despertó en mí el gusto por la poesía y por escribir versos haciéndome poeta. De mis primeros (rudimentarios), a los actuales, mis versos han cambiado en su forma de expresión, enriqueciendo su contenido y forma expresiva, metafórica; temática que se ha extendido de lo regional a lo universal, siendo más libre, de protesta y romántica. Hoy me siento relacionado con la poesía tradicional y la modernista (de versos libres no ajustados a la métrica), aunque creo que debe tener ritmo o musicalidad y mensaje.

Escribes poesía, ¿para qué? ¿Para quién? ¿Desde qué perspectiva lo haces: ¿canónica o marginal, central o periférica, tradicional o contemporánea? En todo caso, ¿qué clase de poeta eres según tu propio criterio? ¿Cómo defines tu obra poética en el contexto de la poesía bajacaliforniana, mexicana, actual?

Escribo poesía por satisfacción y gozo al escribirla, sabiendo que va dirigida a pocos lectores que gustan de leerla o escucharla. Escribo poesía tradicional, revolucionaria, educativa y social dirigida a todos los sectores sociales. Me considero un poeta que ama la vida y los valores humanos que practico y difundo en mi poesía.

Frente a otros géneros literarios, como la narrativa o el ensayo, la poesía en Baja California ¿qué da a sus lectores?, ¿qué aporta a la fiesta de la palabra?, ¿qué temas domina? ¿qué lenguajes alienta?
Creo que mi poesía ha cumplido una misión social, sensibilizando a la sociedad, haciéndola más humana y sensible a las emociones. Al deseo del conocimiento y de ser libre y luchas por este valor, a la vez que por despertar el gusto estético.

En términos de libertad expresiva, de experimentación verbal, de rigor imaginativo, ¿cómo ves la situación de la poesía bajacaliforniana del siglo XXI? ¿Qué le falta y qué le sobra? ¿Cómo te ubicas en ella?
En este sentido, veo a la poesía actual muy avanzada. Opino que le hace falta ser más clara en su expresión para que llegue a todos los sectores sociales. Yo me ubico como un poeta actualizado en este aspecto, que lucha por cambiar a la sociedad haciéndola proclive a las causas nobles y justas.

Escribir como nativo o residente del norte del país, de la frontera incluso, ¿en qué sentido condiciona tu escritura, ¿de qué forma reaccionas a esta realidad?, ¿evadiéndola, confrontándola, asumiéndola como propia?
Como residente de esta frontera, asumo mi papel de gladiador por la cultura de la misma. Me considero un impulsor de nuestros valores fronterizos, del conocimiento

de su historia y reconocimiento de sus valores intelectuales, artísticos y culturales, asumiendo como propia esta frontera norteña, con sus dones y errores.

¿Qué diferencias hay entre escribir poesía en Baja California o fuera de Baja California? ¿Las distancias ayudan a comprender mejor tus propios orígenes, a entender mejor los lazos afectivos, sensibles, conceptuales que te unen a la matria peninsular?
No encuentro diferencia en escribir poesía en Baja California o fuera de ella, si ésta se siente nuestra y la amamos, aunque los temas pueden ser diferentes, pues siempre los poetas escribimos de nuestros sentimientos y sobre el entorno que nos rodea; es decir, sobre lo que amamos y tenemos cerca o nos llega al corazón.

De tus libros publicados, ¿cuál es el que consideras sea el más fiel a tu experiencia vital, a tus búsquedas creativas y por qué?
De mis poemarios el mejor escrito, que abarca temas épicos-sociales de protesta, románticos y de toda índole, es *¡Grito!, Clamor Desesperado* (con tres ediciones agotadas), que responde mejor a mis búsquedas creativas, novedosas y universales.

¿Cómo ves a la poesía que se hace en la frontera norte, en Baja California específicamente? ¿Qué poetas de la entidad han aportado obras significativas y cuáles han sido sus aportaciones fundamentales a la lírica nacional?
En la frontera norte la poesía contemporánea ha trascendido por la existencia de escritor de la talla de Abigael

Bohórquez, Daniel Sada, Fernando Sánchez Mayans y otros más, incluyendo a Gabriel Trujillo y a Jorge Ortega, cuyas obras han trascendido en la literatura nacional y extranjera. El más prolífico es Trujillo.

¿Qué tendencias predominan hoy en día en la poesía bajacaliforniana contemporánea? ¿Hay estudios sobre tu obra y si no hay qué impacto tiene la falta de un aparato crítico alrededor de la práctica poética de un poeta como tú?
Actualmente predomina en Baja California la poesía modernista, de verso libre, así como de temas variados como la poesía de protesta.

Creo que mi mejor crítico literario es o son mis lectores, entre ellos otros creadores, escritores y periodistas conocedores de mi obra que la han juzgado a través de libros y artículos; entre los primeros, varios como Gabriel Trujillo, quien compiló opiniones diversas en el libro *La poesía manda*, (ICBC, 1997). Empero, creo que hace falta la práctica crítica en el Estado.

Las peculiaridades de la poesía de la entidad –clima inhóspito, urbes con distinta personalidad, el espacio fronterizo, la escasez de publicaciones-, ¿cómo influyen en la escritura poética?
Estas hacen más difícil el ejercicio poético, pero no detienen su marcha.

Ya no vivimos en la era de la divinización del poeta, de la sacralización de la poesía. Ahora se escribe desde la cotidianidad de cada quien, desde la realidad de cada uno.

La poesía radica hoy en un discurso más directo y personal, en la plaza pública, en las redes sociales, en la democracia de las palabras. ¿Cómo la vives tú? ¿Cómo la difundes al mundo?

Es cierto: ya no se diviniza al poeta; no se sacraliza a la poesía; pero ésta continúa siendo trascendente: una máxima expresión del lenguaje que enaltece a los que la practican. La poesía influye sensibilizando al a humanidad y deleitando a quienes les gusta. La poesía continúa influyendo positivamente en la sociedad, a la que educa y sensibiliza con mensajes positivos de valores humanos. La palabra es vínculo imprescindible y el toque poético la eterniza.

En una sociedad como la nuestra, tan pragmática, tan consumista, plena de modas efímeras, ¿aún hay espacio para la poesía o ésta sigue siendo una actividad minoritaria, un culto académico, una secta protegida institucionalmente, pero sin repercusiones en la sociedad en general? ¿Con qué clase de interlocutores cuenta tu poesía? ¿A quién se dirige aparte de ti mismo o del círculo que la frecuenta y practica como creación literaria? A pesar de que no sólo la poesía sino la literatura y la cultura en general siguen siendo menospreciadas por instituciones y medios informativos. Estos valores continuarán enriqueciéndose con el esfuerzo y lucha tenaz de sus promotores que yo llamo gladiadores y quimeristas de la pluma, como lo fueron el siglo pasado Rubén Vizcaíno Valencia, Pedro F. Pérez y Ramírez "Peritus" y otros más; y actualmente tenemos a Gabriel Trujillo Muñoz y varios más, que son promotores de cultura o gladiadores del conocimiento.

Pertenecí a una generación que luchó por abrir espacios para el arte y la cultura y algo se logró; pero aún falta mucho en este sentido y la lucha continúa dándose. Yo como maestro y declamador que fui, así como periodista, soy relativamente conocido y mi poesía lo mismo y se dirige a todo público lector.

María Edma Gómez Romero

¿Qué te llevó a la escritura poética?
Empiezo a escribir en esta frontera bajacaliforniana; la luz
solar me lleva al deslumbramiento y en ese encuentro y
desde ese deslumbramiento descubro mi poesía, la vivo,
la experimento, asumo la realidad que me rodea y me
permito encontrar otra ciudad luz que ya no existe más
que en mi memoria poética. Una ciudad hecha de palabras, desde la imaginación. Desde ese espacio poético,
contemplo el entorno palpitante de la frontera, la marginación, los migrantes y sus calamidades; las calles destro-
zadas por un sol inclemente y es natural que esas imágenes surjan en mis poemas, no precisamente para condi-
cionar mi escritura, pero sí para dar cuenta de quién soy,
razón que responde de alguna manera a la pregunta de
para qué escribo y desde qué perspectiva lo hago; no obstante considero que ésta no es sino una de las múltiples
formas en que puedo abordar —según mi impulso creativo— la infinitud del universo poético

¿Qué te hizo poeta?
Cuando era niña frecuentaba las páginas del libro de *Las
mil y una noches*. Aún antes de empezar a leer; las letras ca-
pitulares de frutos, pájaros y flores me hablaban sin palabras; esas imágenes poéticas se fueron apoderando de mi
imaginación, me contaban historias diferentes de las que
mi abuela leía para mí. Aquella magia surgió entonces,
en todo lo que me rodeaba. Me recuerdo contemplan-
do desde el puente del río Mixcoac multitud de objetos

desgastados que arrastraba en su corriente de aguas turbias; zapatos viejos, ropas y cacharros me contaban relatos desolados o felices. Fueron mis primeros encuentros con la poesía.

Escribes poesía, ¿para qué? ¿Para quién? En todo caso, ¿qué clase de poeta eres según tu propio criterio? ¿Cómo defines tu obra poética en el contexto de la poesía bajacaliforniana, mexicana, actual?
Mi relación con el lenguaje poético es entrañable, me atrae el juego retórico y semántico de la poesía, el ritmo que producen las palabras al conjuntarlas, sin embargo en mi acercamiento a la escritura prefiero la sencillez, la claridad y el deslumbramiento de la metáfora.

De tus libros publicados, ¿cuál es el que consideras sea el más fiel a tu experiencia vital, a tus búsquedas creativas y por qué?
De mis poemarios publicados, el que considero más acorde a mi experiencia vital es *Imágenes de luz*. Geografía espiritual que asume la visión de tres ciudades: la entrañable de la nostalgia, la luminosa de la realidad y la de la ciudad interior del alma. La celebración de la poesía en estas páginas dan cuenta de mi cotidiano transcurrir por días y noches, del encuentro conmigo misma, que muestra lo que soy, lo que he quiero ser y lo que he sido.

¿Cómo ves a la poesía que se hace en la frontera norte, en Baja California específicamente?
La poesía peninsular aporta a la fiesta de la palabra otra visón de la realidad, tal vez más íntima, tocada no siempre

por el halo de la belleza, pero sí por el de la inteligencia, a veces con lenguajes no convencionales, pero eficientes. Sin embargo, desde mi punto de vista, son la narrativa y el ensayo bajacalifornianos los que abordan con mayor intensidad y precisión el tema del ser y el acontecer de la frontera.

¿Qué tendencias predominan hoy en día en la poesía bajacaliforniana contemporánea?
Dentro del *corpus* poético que conforma el trabajo escritural de los poetas de esta zona fronteriza no encuentro registros suficientes como para hablar de tendencias. Creo más bien en la permanencia de la diversidad en cuanto a experimentación verbal, forma y rigor, con los que se construye y se aborda el poema, creo que los temas y las formas de esta poesía son universales y libres, tocando a veces la ironía, otras la profundidad reflexiva interior, otras lo cotidiano, lo urbano o el ingenioso juego de la retórica. El registro de emociones profundamente humanas como las que abarca la poesía en general, va más allá de la búsqueda de reconocimiento y plantea un rumbo infinito de expectativas, cada una de acuerdo a la experiencia existencial tanto del poeta, como del acercamiento del lector.

Las peculiaridades de la poesía de la entidad —clima inhóspito, urbes con distinta personalidad, el espacio fronterizo, la escasez de publicaciones—, ¿cómo influyen en la escritura poética?
Si bien es cierto que para la poesía en general, no solamente para la bajacaliforniana, el ambiente es inhóspito,

las publicaciones y los apoyos son mínimos y los interlocutores cada vez más escasos, en una sociedad como la nuestra pragmática, consumista, la razón de ser de la poesía es la poesía misma que representa una forma de conocimiento del mundo, en una profunda relación íntima entre el hombre y la palabra y por lo tanto no se debe ni puede desaparecer.

Jorge Ruiz Dueñas

¿Qué te llevó a la escritura poética?
La escritura era una inclinación que venía desde la primera infancia: el inexplicable gozo de las letras rebosando una gran resma de papel de estraza; la misteriosa formación de las sílabas y las palabras unidas para formar pensamientos que explicaban el cosmos. Pero, el reclamo formal de la escritura me vino a los dieciséis años con gran intensidad en unas vacaciones invernales en Ensenada. Sin embargo, después, en la Universidad Nacional encontraría espacio para desarrollar la vocación, pero no estudiando formalmente literatura, sino en el periodismo cultural mientras la poesía era un ejercicio moroso que fluía en momentos inoportunos y desconcertantes: en las aulas, bajo la lluvia, en la vida cotidiana que fluía ante mis ojos. Incluso oficiando como secretario de León Felipe, absorto por la experiencia de la guerra y el exilio. En mi generación y aun después, fueron escasos los escritores y poetas con estudios académicos en la materia. Usualmente intentaban otras formaciones que, generalmente, abandonaban. Ese fenómeno es igual en Iberoamérica. Sin embargo, no es sólo intuición. Todo pasa por el tamiz de la lectura que es una forma de conocimiento del mundo a través de sensaciones preservadas mediante el lenguaje escrito. Se escribe para perpetuar, pero se lee para conocer el mundo.

¿Qué te hizo poeta?
Por un lado, una inclinación casi misteriosa hacia la lírica, desde una perspectiva intimista, a pesar de haber

sido formado de manera no intencional para la narrativa. La poesía programática no es mi práctica, porque mis formaciones en ciencias sociales me han permitido foros para expresar mis opiniones sobre la sociedad y sus infortunios. Por otro lado, como antes mencioné, por las lecturas y la empatía. Pero, hay muchos y mejores lectores que yo en cuanto al conocimiento de autores, movimientos literarios, formas y estilos clasificados con el fino escalpelo de quien examina, como en la "Lección de Anatomía" de Rembrandt, los órganos literarios de un cuerpo múltiple y en cierta manera amorfo. Nada puedo agregar. Apenas sí me atrevo, no sin rubor, a confesar la experiencia de un periplo personalísimo, como el flujo de un pensamiento marginal de un hombre marginal que a veces escribe una literatura marginal.

Pero la poesía —insisto en ello— es una dolencia instalada en la jaula del pecho que fluye a través de la mirada y da testimonio de nuestra errancia. O, mejor aún, una forma inapelable y lenta de despedirse de la vida, un silencioso retorno al misterio.

De tus primeros versos a los actuales, ¿qué ha cambiado en tu forma de escribirlos? Hoy en día, ¿cuál es tu relación con el lenguaje poético, con lo que quieres decir a través de tu poesía?
Cómo la sentencia de Paul Valéry, ningún poema se termina, sólo se suspende y, de alguna manera, sigo escribiendo mi "carta de rumbos", como aparece resumido y yo condenado por Javier Sicilia en su introducción a la reunión de mis primeros treinta años de poesía (1968-1998). Algunas formas cambian, para regresar a ellas de

manera involuntaria. Poco hay de nuevo que no se haya escrito o dicho antes, bajo los auspicios de la búsqueda interior o formal. Los motivos, las imágenes, todo parece retornar en una espiral que pretende ser ascendente, un tornaviaje perpetuo. El lenguaje tiende a expandirse, pero sobre la misma ruta descubre uno, como decía Álvaro Mutis, que la palabra es insuficiente.

Escribes poesía, ¿para qué? ¿Para quién?
El poeta Francisco Cervantes tituló *Cantado para nadie* a una de sus obras. Debo comentar que Gabriel García Márquez decía que los títulos de nuestro común amigo eran de lo más sorprendente y eficaces. Puedo suscribir su dicho. Pero, también, tener presente la inquietante pregunta de Hölderlin: "¿Para qué poetas en tiempos de miseria?" Y, sin embargo, de nuevo debo decir –porque, salvo imposturas, uno permanece con sus pequeños dogmas hasta la muerte–: En el áspero espacio de la duda, donde, de manera voraz, la palabra, el ritmo, la imagen, la verdad literaria, parecen perder su certidumbre inmoladas por el pudor y la inquietante sensación de los cainitas, siempre encuentro refugio en la sabiduría de Enrique Molina y en su plan para el olvido: "se ama todo lo viviente, pero con tal intensidad que ese amor no desdeña lo que muere, lo ya extinguido, porque lo que alguna vez vivió en nosotros sigue siempre aferrado a nuestro ser de una manera irreparable". Y entonces, sólo entonces, tengo la certidumbre de la complicidad del poeta con la vida, que es, tal vez, su único destino. El hombre sólo puede aspirar a un puñado de verdades personales.

¿Desde qué perspectiva lo haces: canónica o marginal, central o periférica, tradicional o contemporánea?
Francamente las categorías filológicas las dejo al escudriñamiento académico, al lector profesional, al crítico acertado o mendaz, y poco pienso en otra perspectiva que no sea decir lo que al hombre y la mujer le suceden en la estrecha perspectiva de la existencia.

En todo caso, ¿qué clase de poeta eres según tu propio criterio? ¿Cómo defines tu obra poética en el contexto de la poesía bajacaliforniana, mexicana, actual?
Creo que no hay clasificaciones cerradas para los poetas. No pienso en contextos regionales de manera uniforme. Sin embargo, a varios poetas mayores, amigos a quienes debo mucho, como Enrique Molina, Lêdo Ivo, Álvaro Mutis, Gonzalo Rojas, Eugenio Montejo e incluso Rubén Bonifaz Nuño, yo les parecía un poeta "poco mexicano". Quizá, los temas, las obsesiones, el manejo de la metáfora o la ausencia de ella, los encabalgamientos, la coincidencia con aspectos conceptuales, visuales o corrosivos. Todo genera una idea sobre la creación ajena que puede o no ser una perspectiva coincidente con la realidad interior que motiva ese juicio de valor. Sin embargo, prevalece la taxonomía asignada sobre la opinión del poeta. Pero eso, poco nos debe preocupar.

Frente a otros géneros literarios, como la narrativa o el ensayo, la poesía en Baja California ¿qué da a sus lectores?, ¿qué aporta a la fiesta de la palabra?, ¿qué temas domina? ¿Qué lenguajes alienta?

Creo que es una literatura de múltiples tonos. Con frecuencia recurre al fenómeno del límite territorial, lingüístico, cultural en sentido amplio, o a la formación de un espacio nuevo trasgresor de fronteras que en realidad tiende a la búsqueda de una identidad, muy a la manera de lo que Alejo Carpentier dice sobre el Adelantado de la singular novela *Los pasos perdidos*. Un día nos percatamos de que se había fundado una ciudad y como ese personaje literario era posible decir: "Fundar una ciudad. Yo fundo una ciudad. Él ha fundado una ciudad. Es posible conjugar semejante verbo. Se puede ser Fundador de una Ciudad. Crear y gobernar una ciudad que no figure en los mapas, que se sustraiga a los horrores de la Época, que nazca así de la voluntad... en este mundo del Génesis". Hay un apetito legítimo de pertenencia, de definición de un espacio propio, del nosotros ante los-otros. Pero esa otredad terminará por coincidir en los temas universales de la literatura, cuando va más allá de la angustia existencial y, por demás, legítima.

En términos de libertad expresiva, de experimentación verbal, de rigor imaginativo, ¿cómo ves la situación de la poesía bajacaliforniana del siglo XXI? ¿Qué le falta y qué le sobra? ¿Cómo te ubicas en ella?
Me parece temerario hacer juicios de valor de una realidad que está frente a nosotros. Es una experiencia vital lo suficientemente cerca como para poder distinguir el bosque en medio de tantos árboles robustos, y decir que hay carencias. Lo importante, a mi juicio, no es saber si nos manejamos como manada o como lobos esteparios, sino construir de acuerdo con nuestra verdad interior, a

la manera de los heterónimos de Pessoa. He leído páginas que insisten en una supuesta escena de los años cincuenta, escrita por quienes no habitaron en ese periodo y no corresponden con la realidad que yo viví en Tijuana en mi infancia, ni al comportamiento de aquellos a quienes yo veía como personajes de una mitología urbana en formación o elementos de su circunstancia (chucos, música estadounidense, esperpentismo, la frontera más visitada del mundo, el infinito fin de semana, la inasible memoria del pasado pleno de lujo y de lujuria muda, los prejuicios del "centro" del país y las realidades sociales de ciudades sin urbanismo). Sin embargo, esas páginas que no coinciden con la microhistoria, no desmerecen en sus méritos literarios ni atributos creativos, porque lo que nos importa no es la realidad histórica sino la verdad literaria. Otra cosa es la crítica sobre la realidad descrita de manera metamorfoseada, pero ese es el reino de la Sociología. Cuando el autor se empecina en establecer su verdad literaria como verdad histórica (lo que vemos a menudo en las narrativas sobre la guerrilla y las drogas), se expone al juicio extraliterario y en ese terreno el autor puede ser avasallado, tarde o temprano.

Escribir como nativo o residente del norte del país, de la frontera incluso, ¿en qué sentido condiciona tu escritura?, ¿de qué forma reaccionas a esta realidad? ¿Evadiéndola, confrontándola, asumiéndola como propia?
No me siento condicionado por nada. Me parece que el territorio de la literatura es tan amplio como la imaginación. Se puede ser profundamente universal desde la raíz de una ciudad –como Joyce– o inmensamente aldeano,

si la materia literaria se rodea de conceptos cosmopolitas donde prevalezca el dogma y las obsesiones del pasado ruinoso. En mi caso puedo repetir que en la fecundidad de los sentidos he creído encontrar el deslumbramiento, el orden sensorial del mar y del desierto jubiloso, amparado siempre por la seducción telúrica del brazo peninsular de nuestras Californias. Y ese paisaje y su incendio que llega hasta el océano, que es conmoción interior y es casa, me acompaña siempre como sustancia y sustrato, porque como el poema de Alfonso Reyes: No soy yo quien vuelve, sino mis pies esclavos.

¿Qué diferencias hay entre escribir poesía en Baja California o fuera de Baja California?
Me parece que esta pregunta es un tema ya abordado, pero además dotado del prejuicio que mencionaba Eugenio Montale respecto de la creencia de que la poesía tenía que estar escrita en verso. Esto en tiempos que los límites entre los géneros se estrechan, nos vuelve a Joyce quien escribió sobre Dublín muy lejos del río Liffey o a Federico Campbell que lo hizo sobre los tijuanenses en la Ciudad de México. En este escenario mutante, dialéctico, si como afirma Gaëtan Picon, "la prosa se impregna de poesía como la poesía de prosa", es en el lenguaje donde debe jugarse la partida. Avanzamos hacia nuevas propuestas que extinguirán los lindes de los géneros y de las artes. No es sólo la diferencia de un discurso desplegado ante uno concentrador, musical y consecuentemente más hermético. Por otra parte, las nuevas tecnologías nos permiten ser cosmopolitas desde los sitios más inverosímiles.

¿Las distancias ayudan a comprender mejor tus propios orígenes, a entender mejor los lazos afectivos, sensibles, conceptuales que te unen a la matria peninsular?
La distancia siempre ayuda a entender o sentir lo que hemos perdido. El reino que nos fue arrebatado por el destino. En mi época de estudiante era común que, al reunirnos varios estudiantes mexicanos en Londres, partiésemos en nuestras conversaciones de una hipótesis: que la distancia nos permitía la comparación y, por ello, no sólo apelar a la nostalgia, sino a las falencias de nuestra sociedad. Pero, debo decir que mi generación es una en la que pocas personas eran nativas del Estado 29. Se era bajacaliforniano por adopción y destino. Nadie reclamaba en esta tierra de migraciones el acta natal como certificado de amor telúrico. Cancún es un caso similar, donde aún se respeta esa voluntad de ser, como algo inherente a la construcción de una nueva realidad. Una reacción posterior hace surgir un aroma de nativismo, tal como lo vi emerger en el caso de Brasilia en los años ochenta. Esto no es un juicio de valor, sino la consignación de un hecho.

De tus libros publicados, ¿cuál es el que consideras sea el más fiel a tu experiencia vital, a tus búsquedas creativas y por qué?
Probablemente *Saravá* por su intención de jugar con dos lenguas romances y la abigarrada presencia de una feracidad que es caos y es origen proveniente del "corazón de las tinieblas". Un génesis, en sí mismo. *El desierto jubiloso* por condensar mi visión de una naturaleza que nos es propia y, por ella, nosotros mismos más allá de lo volitivo.

Y *La esencia de las cosas* por la intención de encontrar en otros términos una visión poética fundada en la Metafísica de George Santayana, y por sus conceptos buscar la médula misma de la vida: "la existencia es una victoria momentánea de la esencia".

¿Cómo ves a la poesía que se hace en la frontera norte, en Baja California específicamente?
Como a toda la poesía que se escribe en el país. No creo en bondades o defectos regionales. La creación es una responsabilidad personal. La máxima expresión del ejercicio de la libertad.

¿Qué poetas de la entidad han aportado obras significativas y cuáles han sido sus aportaciones fundamentales a la lírica nacional?
Veo un amplio abanico valioso de poetas, hombres y mujeres con sus preocupaciones propias. Me parece irresponsable hablar del pasado o del presente, con valoraciones que no ha avalado aún el tiempo.

¿Qué tendencias predominan hoy en día en la poesía bajacaliforniana contemporánea?
Creo que existen búsquedas en todas direcciones, y encasillar no me parece que aporte a la veracidad sobre una fuerza natural que está sobre todo en manos de los jóvenes.

¿Hay estudios sobre tu obra y si no hay, qué impacto tiene la falta de un aparato crítico alrededor de la práctica poética de un poeta como tú?
Hay algunas reflexiones en Francia y en Brasil y, sobre todo en Marruecos, por razones casuísticas que no creo tengan importancia respecto al conjunto de mi obra. En algunos casos son estudios de tesis doctorales. Por lo demás, no escribo para formar un aparato crítico alrededor de mi trabajo. Puede o no importar, ahora o más tarde. El interés o el desinterés no me hará mejor poeta. Lo que alguna vez mencionó Umberto Eco respecto al periodismo en el senado de Italia, me parece aplicable para cualquier creador: hay que mirarse menos en el espejo.

Las peculiaridades de la poesía de la entidad –clima inhóspito, urbes con distinta personalidad, el espacio fronterizo, la escasez de publicaciones–, ¿cómo influyen en la escritura poética?
El "clima" inhóspito lo es para la poesía en general, porque es un género poco mediático. Sin embargo, no sólo en la frontera, sino en toda la república, veo generaciones de creadores literarios que no deben partir a la megalópolis para ser conocidos y publicar sus propuestas. Estar *in situ* ha dejado de ser condición suficiente para editar. A ello, en su oportunidad, quise contribuir y algunos escritores, hoy con cierto renombre, fueron publicados por programas que tuve la responsabilidad de dirigir.

Ya no vivimos en la era de la divinización del poeta, de la sacralización de la poesía. Ahora se escribe desde la cotidianidad de cada quien, desde la realidad de cada uno.

La poesía radica hoy en un discurso más directo y personal, en la plaza pública, en las redes sociales, en la democracia de las palabras. ¿Cómo la vives tú? ¿Cómo la difundes al mundo?

Me parece que esta preocupación por los medios, la difusión expansiva, la influencia sobre los demás, busca lo mismo: pleitesía, divinización y egocentrismo. Mi ego, en verdad, es muy deficiente como para preocuparme por hacerme ver en el ágora.

En una sociedad como la nuestra, tan pragmática, tan consumista, plena de modas efímeras, ¿aún hay espacio para la poesía o ésta sigue siendo una actividad minoritaria, un culto académico, una secta protegida institucionalmente, pero sin repercusiones en la sociedad en general? ¿Con qué clase de interlocutores cuenta tu poesía? ¿A quién se dirige aparte de ti mismo o del círculo que la frecuenta y practica como creación literaria?

La poesía es un caminar de ciego porque nunca sabemos qué vamos a encontrar y cuándo iniciaremos un nuevo poema. Sin embargo, la poesía es un sustrato ambicioso de las identidades. Por supuesto, no existe red de protección. Por el contrario, hacer poesía, sobre todo en países como el nuestro es ejercer vuelos bajo nuestro propio riesgo. La palabra te lleva a una asociación misteriosa, mágica, inclusive brumosa, pero a la vez contundente, de ideas y de conceptos; éstos no se asocian de manera mecánica, pues están dentro de ti, aunque en ese momento despiertan. La interlocución de la poesía es un misterio. Hay poetas que colman estadios o teatros, y los hay de lectura recogida e íntima. La preferencia o el interés inmediato suelen ser una reacción de empatía. Pero no puede ser esta la razón eficiente para escribir. Los poetas sirven para celebrar la vida, contarla e infundirle posibilidades de un mejor destino. Asumirse así, no por ser excluidos sino porque somos diferentes, nos ayudaría a sentirnos como Gordon y Dudorov tras hojear el cuaderno del Dr. Yuri Jivago, cuando les parecía que el futuro se había colocado, tangiblemente, en las calles que se extendían a sus pies, que ellos mismos habían entrado en el futuro y que desde aquel momento se encontraban en él.

VÍCTOR SOTO FERREL

¿Qué te llevó a la escritura poética?
Quizás la memorización de canciones impregnadas del sentimiento con que las cantaban en mi pueblo de mineros. El canto cardenche, llegando o de regreso por los caminos de la sierra, con los arrieros. Una profunda y súbita veta de agua y tierra, de aire y luz que brotaba estremeciéndome en los purpúreos atardeceres, las noches tachonadas de estrellas o de lunas al alcance de mi mano. Después, el contacto con la versificación escrita por el aprendizaje de poemas sugerido por mis maestros de primaria para que los recitara en las límpidas, coloridas y melancólicas asambleas de los lunes

¿Qué te hizo poeta?
No lo sé. Tal vez la fusión de voces, letras e imágenes portentosas. Auroras, tormentas, crepúsculos, montañas, constelaciones. Fuegos fatuos, socavones, dolor, aislamiento y pobreza. Lectura y cine. Mis primeros versos y los actuales siguen fieles al contacto con la naturaleza y con la gente. Quizá por eso mi cercanía con la poesía china, japonesa y coreana. Tengo mis propias sendas de Oku.

¿Qué ha cambiado en tu forma de escribirlos?
La forma, la alternancia del arte mayor y el menor en los versos. Empezar a medirlos, cuidar la rima, sigue siendo sustancial al proceso, que en mi caso puede durar años.

La experimentación con el poema en prosa, y la prosa. Los rasgos de la otra cara siguen siendo indescifrables.

Hoy en día, ¿cuál es tu relación con el lenguaje poético, con lo que quieres decir a través de tu poesía?
Soy profesor de Literatura española de la Edad Media y de los Siglos de Oro. Me place descubrir la pervivencia de sus vestigios en la lírica de las canciones populares y en la narrativa de los corridos. Sigo oyendo a los músicos, cada vez que puedo, para ver qué variantes le imponen a las letras antiguas. Converso con ellos sobre su mester. Disfruto mucho su compañía. Sigo leyendo a poetas indios, chinos, japoneses y coreanos con mis alumnos. Siempre persiste la idea de que no he dicho bien lo que deseaba decir. O de que no he entendido bien lo que he leído u oído. Quizás porque en el fondo no hay forma. Sólo un reflejo. Por eso vuelvo a intentarlo, conforme yo y mi circunstancia van cambiando.

Escribes poesía, ¿para qué?
Escribo y escribo, después releo, luego ordeno los textos pensando en que tal vez algo de lo que quiero decir llegue a alguien. Nunca se sabe, son como mensajes en una botella.

¿Para quién?
Cuando ese alguien se acerca y me dice que ha encontrado los mensajes no sé qué decirle. Pienso que también ya sabía de qué se trataba. Era un simple detalle. Nada misterioso. Generalmente sólo hay silencio. Un puro silencio compartido.

¿Desde qué perspectiva lo haces: canónica o marginal, central o periférica, tradicional o contemporánea?
Es un punto de vista, un enfoque, un ángulo. Siempre en presente. Sería difícil definir en qué momento es marginal, central o periférico, porque es instantáneo. Efímero. Son la persistencia y el tiempo los que le dan forma en el espacio de la página; es maravilloso qué los poemas huelan como flores o frutos, que vuelen con las estaciones como hojas y pájaros, y que se presenten con un tono distinto desde tiempos inmemoriales. Tu Fu, Quevedo, Góngora y López Velarde son tan contemporáneos para mí como Cernuda y Villaurrutia. Ahora mismo estoy oyendo a Vicente Quirarte, Coral Bracho, David Huerta, Luis Cortés Bargalló, Raúl Rincón, Pedro Serrano y Alberto Blanco conversando en silencio con T. S. Eliot, W. S. Merwin, Joachim du Bellay, Gary Snyder, Bei Dao, Matthew Brogan y Kenji Miyasawa.

En todo caso, ¿qué clase de poeta eres según tu propio criterio?
No lo sé, sería pretencioso decir qué tipo de poeta soy. Si es que lo soy. En todo caso, prefiero pensar que, ya que como una pintura me voy borrando, es una necesidad de expresión. Sandoval Zapata decía "que en estos papeles de la vida / es más fácil borrarse que escribirse", así que tomo lección tratando de no angustiarme ante el cúmulo de voces olvidadas y optando por creer que sólo hago un intento. Mi mejor intento

¿Cómo defines tu obra poética en el contexto de la poesía bajacaliforniana, mexicana, actual?

No logro desdoblarme como crítico, puedo ser autocrítico con lo escribo. Pero me resulta difícil colocarme en los estantes. Me han dicho que estoy totalmente descontextualizado. A lo mejor no quepo en ningún lado. Sin embargo, generosamente he sido incluido en las antologías de la poesía bajacaliforniana. Algunos poemas míos se han traducido al inglés por diversos autores, incluso he sido traducido al italiano. A lo mejor no resulto tan local, como decía el profe Vizcaíno, ni tan regionalista, o será que mi regionalismo se parece a muchos otros regionalismos.

Frente a otros géneros literarios, como la narrativa o el ensayo, la poesía en Baja California ¿qué da a sus lectores?
Como los otros géneros contribuye a la afirmación de una identidad, quizás no sólo regional, pues si pensamos en cada municipio y su entorno, resulta más compleja, por las corrientes migratorias y porque en su mayoría, quienes la cultivamos, somos egresados de carreras universitarias (muchos de nosotros, tú y yo, por ejemplo, hemos hecho estudios fuera de Baja California y en disciplinas fuera del ámbito de las letras) con lecturas muy variadas. Aunque quisiéramos, el hecho de vivir en una zona de frontera, particularmente desde Tijuana, hace que seamos leídos, sobre todo desde la periferia, creo, dentro de un contexto más amplio.

¿Qué aporta a la fiesta de la palabra?
La poesía enriquece la imaginación y nos hace reflexivos del lenguaje. Tal vez sea lo primero que percibes cómo va

cambiando. Cada palabra se vuelve un nuevo espejo. Un rayo que deslumbra y alumbra zonas oscuras, en principio, para quien va introduciéndose a paisajes desconocidos que lo obligan a una distensión mental. No sin gran sufrimiento y gozo inaudito.

¿Qué temas domina?, ¿qué lenguajes alienta?
No creo que haya temas dominados ni por agotar. Todavía anda Petrarca por ahí con sus imágenes de cortesía en los juglares de la Plaza Santa Cecilia. Sin que lo toque la vulgaridad, siempre sale ileso. Como Garcilaso, rescatado por la voz de Jorge Negrete en *Historia de un gran amor*, o Manuel Acuña en la voz de Los Alegres de Terán. ¿Quién podría extinguir el tema de la rosa o el de la caída de una hoja? ¿Qué lenguajes alienta? Yo creo que a todos los lenguajes, aunque hay unos que se resisten a olvidarla, como los de las artes, estilos, géneros; los de las plataformas, proyectos, pasarelas y ensambles. Siempre que sople el duende, la musa, el demonio o el ángel.

En términos de libertad expresiva, de experimentación verbal, de rigor imaginativo, ¿cómo ves la situación de la poesía bajacaliforniana del siglo XXI?
Me parece que el registro es muy amplio. Participo en cuanta presentación de libros o lecturas me invitan para oír las nuevas voces. Desde las que se consideran emergentes hasta las que de forma discreta dicen lo suyo con mesura, despacio, sin prisa. Como los tiempos obligan a gritar, enmudecer o reflexionar, el espectro es magnífico, hay una gran diversidad de tonos.

¿Qué le falta y qué le sobra?
Le falta tiempo. A todos nos falta tiempo, siempre. Mucho tiempo.

¿Cómo te ubicas en ella?
Me hago un campito, sin ánimo de molestar a nadie. Sin cuidarme de ser desconocido.

Escribir como nativo o residente del norte del país, de la frontera incluso, ¿en qué sentido condiciona tu escritura ¿de qué forma reaccionas a esta realidad: evadiéndola, confrontándola, asumiéndola como propia?
No creo evadir la realidad, hago lo imposible por estar informado. Por participar. Digo lo mío en un tono que tal vez no reverbera. Trato de que se lea, no que se grite. Lo guardo mucho tiempo, lo releo hasta que considero poder compartirlo, para no arrepentirme. No me he movido desde fines de los setentas más que por unos tres años de Tijuana. Así que todo prácticamente lo he escrito aquí y sobre unas pocas cuadras. Me adelanto por instantes mirando al azar, luego me reintegro a la sombra de trayectos muy reconocidos. Decía Rubén Vizcaíno que la ciudad tiene todos los defectos, menos el de ser aburrida. No necesito estar diciendo su nombre. Es mi Aleph.

¿Qué diferencias hay entre escribir poesía en Baja California o fuera de Baja California?
Hay quienes pueden viajar y escribir. Yo viajo poco, físicamente. Cuando lo hago, prefiero los placeres de la vista, olores, sabores, sonidos, tacto. Después de mucho tiempo escribo, casi siempre ya en mi cuarto; si antes lo

sueño, sé que valió la pena; entonces veo lo que leo llevándolo conmigo por las calles, con todo y acompañamiento de orquesta, el *soundtrack* puede ser muy variado.

¿Las distancias ayudan a comprender mejor tus propios orígenes, a entender mejor los lazos afectivos, sensibles, conceptuales que te unen a la matria peninsular?
La nostalgia del origen, el no saber a dónde vamos ni de dónde venimos de Darío, es el gran tema de la poesía. Llegar a la otra orilla para encontrar al Otro que nunca se sabe quién es y tratar de volver. Por eso quizás mi *matria* es la infancia, trasladada a Tijuana o al Distrito Federal, por razones de sobrevivencia o de estudio. Traigo mi casa, mi cárcel conmigo. De inmediato la instalo donde vaya. Cuando a veces está sosegada, escapo, salgo. Me aventuro en amar. Pero esa enorme distancia con frecuencia me paraliza o me destierra.

De tus libros publicados, ¿cuál es el que consideras sea el más fiel a tu experiencia vital, a tus búsquedas creativas y por qué?
Cada poema o cada libro -no son muchos, apenas tres- he tratado de que sean fieles a una experiencia. No traicionar sino acercarme lo más posible a ese vuelo, a ese perfume, a esa voz que se escabulle pero que llega al sueño o al recuerdo cuando menos lo pienso. Intento recrearlos con palabras, a veces con colores y tintas dándoles forma. Son inasibles. Gracias a eso puedo trabajar hasta por diez años precisando, hurgando en el instante que les dio vida. Mientras tanto estoy activo en muchas otras cosas.

¿Cómo ves a la poesía que se hace en la frontera norte, en Baja California, específicamente?
Tú y Cortés Bargalló han analizado puntualmente el desarrollo de la poesía en Baja California. Sabemos cómo se transforma a partir de la ruptura generacional de los sesentas. En Tijuana son Salvador Michel Cobián y Rubén Vizcaíno Valencia, quienes, unidos a los jóvenes del Taller de Poesía Voz de Amerindia, introducen hasta entonces en su revista la poesía vanguardista. Es definitivo su contacto con Carlos Pellicer, el mayor de los Contemporáneos. La intervención de Pellicer fue definitiva para la participación de la Asociación de Escritores de Baja California en el Congreso Latinoamericano de Escritores que les hizo ver, sobre todo a Vizcaíno, cómo la tradición se rompía, pero también cómo se reinventaba. Siendo alumno suyo en la Prepa de la UABC, algo intuía. Egresé en julio de 1968.

¿Qué poetas de la entidad han aportado obras significativas y cuáles han sido sus aportaciones fundamentales a la lírica nacional?
Eduardo Hurtado con *La gran trampa del tiempo* y Raúl Rincón Meza con *Poemas de santo y seña para descubrir un rostro*, inician el cambio para mi generación. La poesía de Luis Cortés Bargalló con *Terrario, El circo silencioso, La soledad del polo* y *Al margen indomable* se incorpora al ámbito nacional por derecho propio. De igual forma sucede con *Ludibrios y nostalgias, Donde conversan los amigos, Rastro del desmemoriado* y *Ciudad sin puertas* de Eduardo Hurtado. Yo me incorporé al Taller de Poesía con Rincón Meza, Ruth Vargas Leyva y el Profe Vizcaíno en la

primavera de 1973. Al inicio de la primavera del siguiente año, con el retorno de Alfonso René Gutiérrez, que estudiaba literatura y participaba en el Taller del maestro Huberto Batis, surge la antología de *Siete poetas jóvenes de Tijuana*. Junto a Felipe Almada, pintor y poeta, estamos Vargas Leyva, Rincón Meza, Hurtado, Cortés Bargalló, Gutiérrez, quien seleccionó los textos, y yo. Se ha reconocido que dicha antología es un antes y después para la poesía en el Estado. La obra multifacética de Rosina Conde empieza con *Poemas de seducción*, editado en La Máquina de Escribir, de Federico Campbell. Rosina Conde y Roberto Castillo son por sí solos una nueva generación. He mencionado a un grupo de artistas con carreras universitarias que además se han destacado como editores. Pero no puedo dejar de mencionar la presencia y la obra poética –para mí, definitiva– de Juan Martínez, con *Ángel de fuego* y *En el valle sagrado*. Juan es a fines de los setenta y principios de los ochenta el ser más extraordinario figura que convive con nosotros. A él se debe, por caminos que llevan a Saint John Perse, el cambio de *Amerindia* a *Hojas*, ya en convivencia con Gilberto Zúñiga, Delia Martínez Lozano, Carlos Cota y Víctor Hugo Limón, con Rosina y Roberto, con Robert Jones, Edgardo Moctezuma y Gustavo Segade.

¿Qué tendencias predominan hoy en día en la poesía bajacaliforniana contemporánea?
Las ventanas abiertas por la globalización han dado alternativas de lectura e información insospechadas. La formación académica y la movilidad estudiantil permiten a las nuevas generaciones una expresión más libre, manifiesta

en los cambios de forma, aunque en ocasiones la velocidad les reste reflexión. No hay tiempo. Como en otras artes tenemos neorromanticismo, neobarroquismo, neosurrealismo en los que se habla, desde luego, de sí mismo, del desencanto de la vida y de sus estructuras sociales y comunicativas. Como nosotros, las nuevas generaciones habitan desde siempre en la incertidumbre política y económica; son reticentes a ciertos discursos, si no es que a todos, y mucho más abiertos a la interdisciplinariedad, a la intermediación con el cine, los video juegos, la música. En menor grado, me parece con relación al teatro y a la pintura. Su permanencia ante las pantallas de sus modulares, me llama la atención. Aunque tengan en frente a su interlocutor, le envían mensajes. No lo ven, le toman fotos y las guardan o las reenvían. Sólo las vuelven a ver si se tornan virales en su círculo. Caminan y viajan leyendo y escribiendo mensajes. Todo esto, creo ha venido creando una nueva sensibilidad, una nueva sentimentalidad muy heterogénea y, para mí, difusa. Sin embargo, se va reescribiendo un mundo, del cual voy teniendo noticia por la privilegiada cercanía con la obra y la amistad de Manuel Romero, Noé Carrillo, Elizabeth Cassezús, Patricia Blake, Elizabeth Algrávez, Alfonso García Cortés, Johanna Jaramillo, Omar Pimienta, Lucila Villa, Amaranta Caballero, Karina V. Balderrábano, Rosa Espinoza, Mavi Robles, Jonnathan Curiel, Luis Alfredo Gastélum, Marcia Ramos, Patricia Binome, Alberto Paz, Daniel Sepúlveda, Alicia González, Ana Chig, Félix Eduardo Márquez, Silverio Casillas, Daril Fortis y Jorge Ortega.

Víctor Soto Ferrel

¿Hay estudios sobre tu obra y si no hay qué impacto tiene la falta de un aparato critico alrededor de la practica poética de un poeta como tú?
En el mejor de los casos hay reseñas de las presentaciones de libros. Mi generación fue muy cuidadosa en ese sentido. Siempre escribimos sobre los libros y revistas que presentamos. El suplemento dirigido por el Profe Vizcaíno nos daba la certeza de verlas publicadas. A medida que desaparecieron los suplementos culturales las reseñas se hicieron más escasas. Luego llegamos a quedarnos con las reseñas escritas porque no se quisieron publicar. Pero, vamos, ni siquiera había espacio para los poemas en los suplementos. Ahora con las revistas digitales empieza a publicarse más poesía, y hay más comentarios. Hace algunos años, se veía como desperdicio tanto espacio en blanco para un poema. Sólo en las revistas hechas por los poetas cabían la poesía y el ensayo sobre poesía. La peor exigencia vino después. Se quería que conversáramos sobre la obra, que no leyéramos nuestro texto porque aburría o resultaba muy académico. Nunca han sido textos extensos los escritos sobre libros de poesía, generalmente son breves, pero resultan esenciales. A la crítica no parece importarle la poesía. Desde el momento en que no vende, como la narrativa, particularmente la novela, o la pintura, pasa inadvertida. Y quizás sea mejor, aprende uno de los mejores amigos, y de los buenos enemigos, casi siempre gratuitos. Se aceptan la crítica de cine y de teatro como parte de la prensa cotidiana, escrita y televisiva. En el mejor de los casos hay entrevistas a los poetas para que explique de qué escribe, por qué escribe. Para qué,

59

si nadie lo lee. Sin embargo, se sigue escribiendo poesía, como verdadero ejercicio de amor y libertad.

Las peculiaridades de la poesía de la entidad –clima inhóspito, urbes con distinta personalidad, el espacio fronterizo, la escasez de publicaciones-, ¿cómo influyen en la escritura poética?
Pareces describir los ingredientes del laboratorio perfecto. El espacio de la contradicción y sus contradicciones. Tenemos mar, desierto, urbes cosmopolitas, fronteras desquiciantes, qué más podemos pedir. Esperemos que nuestro esfuerzo por darle a la caza alcance nos traiga en los próximos cincuenta años a un Charles Baudelaire, o a un Paul Valéry surgido en esta región.

Ya no vivimos en la era de la divinización del poeta, de la sacralización de la poesía. Ahora se escribe desde la cotidianidad de cada quien, desde la realidad de cada uno. La poesía radica hoy en un discurso más directo y personal, en la plaza pública, en las redes sociales, en la democracia de las palabras. ¿Cómo la vives tú? ¿Cómo la difundes al mundo?
Cuando me invitan a leer, voy. Donde sea. Si me piden algo para su publicación, también. Siempre que me den tiempo para revisar lo que entrego. No mucho, sólo el necesario para releer lo releído. Así aseguro que me vuelvan a invitar. Difundo la poesía en mis clases, sin presionar a los alumnos, para no causar el efecto contrario: que odien la poesía y a los poetas. Creo que la mejor difusión de la poesía la he realizado a través del cine. ¿Quién podría negar como poetas a Bergman, Visconti, Kurosawa,

Víctor Soto Ferrel

Buñuel, Herzog, Murnau, Eisenstein, Truffaut, Pasolini, Kim Ki Duk, Oshima, Zhang Yimou o Park Chang Wook?

En una sociedad como la nuestra, tan pragmática, tan consumista, plena de modas efímeras, ¿aún hay espacio para la poesía o ésta sigue siendo una actividad minoritaria, un culto académico, una secta protegida institucionalmente, pero sin repercusiones en la sociedad en general?

Hemos tenido la fortuna de que la convivencia de los poetas se haya dado en Tijuana, en principio, en los cafés. La tertulia del Profe Vizcaíno en el Café del Nelson siempre tuvo entre sus numerosos asistentes a los poetas: el Dr. Michel Cobián, Sor Abeja, Aída Castro de Hernández, Miguel Ángel Millán Peraza, Martha Salas y, por supuesto, Rubén Vizcaíno, quien cuidó de ir introduciendo a los poetas jóvenes. Si no había, los inventaba, porque tenía que hacer vivos los puentes generacionales. Las revistas y suplementos culturales nunca faltaron en su mesa. Ahí se hacía labor de taller, se proyectaban lecturas. De ahí nos encaminábamos a las salas Ulises Irigoyen, del Sindicato de Telefonistas, de la biblioteca del parque Teniente Guerrero y la Casa de la Cultura, o de Ensenada, Mexicali, San Diego y Tecate. Desde luego venía después la celebración, La Ballena en sus diferentes épocas, El Turístico, el Dragón Rojo fueron los escenarios. La lista sería interminable. Hay constancia de que las mesas de los poetas fueron las más concurridas y animadas. Rara vez hubo lecturas que parecieran velorios, en todo caso acabaron siendo siempre muy divertidos. Creo que sesionamos más que cualquier club de servicio. El Taller de Poesía Voz de Amerindia tuvo una actividad ininterrumpida por más de treinta y cinco años.

¿Con qué clase de interlocutores cuenta tu poesía?
Mis mejores amigos son poetas. Es un privilegio que sea un grupo numeroso, entrañable, y muy bueno. Nuestras familias se conocen. Cuando nos movemos de ciudad acabamos reuniéndonos con otros poetas. Como también tenemos interés por la pintura, el teatro, la música, la danza, la comida y el cine, el círculo se amplía. Mis alumnos y mis compañeros de la academia suelen ser interlocutores interesados en lo que escribo. Así es cómo me he dado cuenta de que nuestros libros no se consiguen. O que, sencillamente, como la antología *Siete Poetas Jóvenes de Tijuana*, se agotaron hace tiempo. Siempre es un poco inquietante el destino de los textos. Saber qué pasó con ellos.

¿A quién se dirige aparte de ti mismo o del círculo que la frecuenta y practica como creación literaria?
Cernuda hablaba de un poeta futuro como imposible amigo. Lo ha dicho admirablemente. Este es el mundo que conozco y he mirado. Es mi tiempo y lo comparto en silencio amoroso con mis amigos. Quizá llegue a tener amigos futuros.

LAURO ACEVEDO

¿Qué te llevó a la escritura poética?
Una personal inclinación a la lectura, que por un largo tiempo fue exagerada, a tal grado que enfermé de la vista. El conocimiento de las palabras, fue otro encuentro, recuerdo que abría un diccionario y me quedaba un gran tiempo sorprendido con los significados de las palabras.

¿Qué te hizo poeta?
Escribir, escribir, necesidad de plasmar sobre el papel, las inquietudes interiores, para después sorprenderme con el resultado.

De tus primeros versos a los actuales, ¿qué ha cambiado en tu forma de escribirlos?
Creo que mucho, pues por instinto uno se va acoplando, esto es un proceso de información y acercamiento al medio de los modos y los tiempos de la escritura.

Hoy en día, ¿cuál es tu relación con el lenguaje poético, con lo que quieres decir a través de tu poesía?
La misma de inicio, dar rienda suelta a ese ser interno que nos clama y reclama para salir a flote en el proceloso mar de la hoja en blanco, que, en aparente calma, tiene en sus pliegues imaginarios, el corazón de las tormentas.

Escribes poesía, ¿para qué?
Para alcanzar ese remanso de encuentro conmigo mismo, sin egoísmos, por ello va a un lado siempre el deseo de

compartir, para que las letras encuentren almas semejantes, pues nada humano nos es ajeno

¿Para quién?
Primero para mí, segundo para mí y tercero para quien se encuentre con mis versos.

¿Desde qué perspectiva lo haces: canónica o marginal, central o periférica, tradicional o contemporánea?
Desde el mundo de la creación contemporánea.

En todo caso, ¿qué clase de poeta eres según tu propio criterio?
Un poeta contemporáneo.

¿Cómo defines tu obra poética en el contexto de la poesía bajacaliforniana, mexicana, actual?
Como una obra intimista, en un lirismo natural y connotado en el acontecer existencial, en la vivencia de un mundo anhelante, inquisitivo con sus búsquedas, imaginante en sus encuentros.

Frente a otros géneros literarios, como la narrativa o el ensayo, la poesía en Baja California ¿qué da a sus lectores?
Una conclusión de un mundo particular.

¿Qué aporta a la fiesta de la palabra?
El regocijo de la escritura, del colocar en las imágenes el rumbo, los indicios de cada paso, los rasgueos del tropiezo y la angustia del siguiente momento.

¿Qué temas domina?
No siento que se trate de dominar nada, sino más bien, ser sincero en las apreciaciones, obedeciendo a las propuestas del inconsciente.

¿Qué lenguajes alienta?
El nítido lenguaje del acontecer en el más pleno lirismo, el cual considero como un derecho universal, del poeta y de todo creador de arte.

En términos de libertad expresiva, de experimentación verbal, de rigor imaginativo, ¿cómo ves la situación de la poesía bajacaliforniana del siglo XXI?
Un tanto aflojerada en trabajo, debería haber más ediciones, pero, atención, debidamente editadas, pues se publica, pero no se edita.

¿Qué le falta y qué le sobra?
Un lirismo más elocuente. Le sobra una aparente necesidad de referirse a hechos de noticia, como una especie de periodismo, desde luego mal interpretado.

¿Cómo te ubicas en ella?
Como un escritor de poemas en el más íntimo lirismo, en esa libertad de palabra propia o apropiada, como un aprendiz de cantor, "aunque la rama cruja".

Escribir como nativo o residente del norte del país, de la frontera incluso, ¿En qué sentido condiciona tu escritura?,

En ninguno, la condiciona, sin que esto deje de lado que la circunstancia está presente en el quehacer de la escritura.

¿De qué forma reaccionas a esta realidad: evadiéndola, confrontándola, asumiéndola como propia?
No me preocupo de eso, cuando escribo, y el contexto permea así, de una manera colateral.

¿Qué diferencias hay entre escribir poesía en Baja California o fuera de Baja California?
Ninguna, escribir poemas es eso, comunicarte con un lenguaje, que, si bien pertenece a un código, busca el propio eslabón para las cadenas comunicantes.

¿Las distancias ayudan a comprender mejor tus propios orígenes, a entender mejor los lazos afectivos, sensibles, conceptuales que te unen a la matria peninsular?
No tengo esa predisposición a un lugar determinado mi "matria" es la humanidad.

De tus libros publicados, ¿cuál es el que consideras sea el más fiel a tu experiencia vital, a tus búsquedas creativas y por qué?
Desde luego la edición de mi segunda selección de la obra, patrocinada por mi amigo el pintor Ernesto Muñoz Acosta (QEPD), la cual vio la luz en el año de 2007, bajo el título de *Enardecida voz*. En ese libro de 300 páginas está mi vida entera. Me llevó un año ordenar los textos, seleccionar de lo publicado, para ir de la cosmogonía a el contexto corporal y concluir con la cercana vivencia.

¿Cómo ves a la poesía que se hace en la frontera norte, en Baja California específicamente?
Prisionera de los temas cotidianos.

¿Qué poetas de la entidad han aportado obras significativas y cuáles han sido sus aportaciones fundamentales a la lírica nacional?
Esto es materia de la crítica, lo que puedo afirmar es que la literatura en estas latitudes, es muy joven y requiere de un mayor ejercicio, más trabajo, un desarrollo de la autocrítica y el nacimiento consecuente de un campo de críticos preparados.

¿Qué tendencias predominan hoy en día en la poesía bajacaliforniana contemporánea?
La sujeción a los aconteceres, el apego a la tierra y sus problemas sociales.

¿Hay estudios sobre tu obra y si no hay qué impacto tiene la falta de un aparato crítico alrededor de la práctica poética de un poeta como tú?
Sí he recibido acercamientos de crítica a mi obra, pero en general hacen falta críticos con preparación.

Las peculiaridades de la poesía de la entidad –clima inhóspito, urbes con distinta personalidad, el espacio fronterizo, la escasez de publicaciones-, ¿cómo influyen en la escritura poética?
Creando una especie de desierto interno, de mayor soledad agregada.

Ya no vivimos en la era de la divinización del poeta, de la sacralización de la poesía. Ahora se escribe desde la cotidianidad de cada quien, desde la realidad de cada uno. La poesía radica hoy en un discurso más directo y personal, en la plaza pública, en las redes sociales, en la democracia de las palabras. ¿Cómo la vives tú? ¿Cómo la difundes al mundo?

Insisto en mi derecho al lirismo, en esa intimidad veo al mundo y me circunscribo a mis resonancias personales, ante la plaza pública expongo mi ser, sin que este vaya como pregón, el contexto se impregna necesariamente al cauce de mis palabras, pero no es la primera intención.

En una sociedad como la nuestra, tan pragmática, tan consumista, plena de modas efímeras, ¿aún hay espacio para la poesía o ésta sigue siendo una actividad minoritaria, un culto académico, una secta protegida institucionalmente, pero sin repercusiones en la sociedad en general?

Siempre habrá espacio para la intimidad como una especie de credencial del individuo.

¿Con qué clase de interlocutores cuenta tu poesía?

Con los escuchas de nuestras reuniones de presentación de obra, con ese correlato de las redes sociales, con el comunicado de boca a boca. En los murmullos de la tribu.

¿A quién se dirige aparte de ti mismo o del círculo que la frecuenta y practica como creación literaria?

A todo aquel que, lector al fin, encuentre un algo de si, en ese alcance humano en el que, vehemente, me escribo.

Roberto Castillo Udiarte

¿Qué te llevó a la escritura poética? ¿Qué te hizo poeta? Informalmente entro al mundo de la literatura, desde la infancia, a través de mirar a mis padres siempre leyendo, de escuchar las reuniones de mis abuelas y tíos contando fabulosas mentiras por las mañanas en la cocina de mis padres y a las enseñanzas de un maestro en la secundaria, el profesor Benjamín Chávez. Sin embargo, llego a la escritura poética a través del *rock*; desde los años de secundaria ya traducía letras de las canciones de *rock* para mis compañeros que poco o nada sabían de inglés. Así me fui acercando a las composiciones escriturales de la dupla Jagger/Richards, de Jim Morrison, Neil Young, Bob Dylan, Donovan, Patti Smith, Paul Simon, Joni Mitchell, Keith Reid del grupo Procol Harum, entre otros más.

Posteriormente voy estudiar a la Universidad Nacional Autónoma de México, en concreto a la licenciatura de Letras Inglesas en la Facultad de Filosofía y Letras, donde me fui acercando a la literatura tradicional anglosajona de Beowulf, Shakespeare y Ben Johnson y, posteriormente, a Emily Dickenson, Samuel Coleridge, T. S. Eliot y Ezra Pound. Después me cambio a Letras Hispanoamericanas y continúo con la literatura anónima medieval española, la Renacentista, los Siglos de Oro, etc., hasta llegar a la Generación del 98, la Generación del 27 y los escritores de Posguerra, los Republicanos y los del Exilio, pero sin dejar de leer a los de lengua inglesa.

Si bien tuve excelentes maestros como Roberto Suárez, Augusto Tito Monterroso, Cristina Barros, Hernán

Lavín Cerda, Huberto Batis, Germán Dehesa y otros; creo haber aprendido mucho también con algunos compañeros que leían a autores fuera del ámbito académico, me refiero a amigos como el veracruzano Óscar Hernández, o Miguel Ángel Galván, quienes me dieron a conocer excelentes autores como Arthur Rimbaud, Raymond Roussell, a los Dadaístas y Surrealistas como Bretón; y a Paul Claudel, Alfred Jarry, Thomas De Quincey, Baudelaire, Huysmans, Marcel Schwob, Apollinaire y a los excelentes Gómez de la Serna, Oliverio Girondo, Efraín Huerta, Juan De la Cabada, José de la Colina, Pablo Neruda, José Revueltas, Raúl Garduño, Saint John Perse y José Carlos Becerra, entre muchos más. Fueron mis años de aprendizaje y, estos escritores, mis primeros modelos a imitar en la escritura.

Regreso a Baja California, específicamente a Tijuana, a finales de los años setenta y encuentro un lugar un tanto desolado de escritura literaria; sí había escritores, pocos, pero básicamente era una literatura tradicional en cuanto a temas y lenguaje. Coincidimos un grupo de amigos que habíamos estudiado literatura y formamos, con apoyo del maestro Rubén Vizcaíno Valencia, unos talleres de creación literaria tanto de verso como de narrativa: Rosina Conde, Víctor Soto Ferrel, Edgardo Moctezuma y yo, básicamente. Fundamos dos revistas literarias, *Hojas* en la Universidad Autónoma de Baja California y *El Último Vuelo* con San Diego State University con apoyo del Departamento de Español y Portugués, coordinado por Gustavo Segade. En *El Último Vuelo* me uno a Edgardo Moctezuma y Robert L. Jones, principalmente, y nos concentramos en publicar a escritores de ambos lados de la frontera norte y a realizar traducciones de poemas en lengua inglesa al español y viceversa.

Esta época es muy importante para mí porque me concentro nuevamente en la traducción del inglés al español, con enorme ayuda de Robert Jones, y comienzo a trabajar en traducciones de poemas de Galway Kinnell, Bill Knott, Charles Bukowski, Richard Brautigan, Larry Levis, Carolyn Kizer, Edgar Lee Masters y Joni Mitchell, básicamente.

Este ejercicio de traducciones me lleva a confrontar al mismo tiempo mi español, a darme cuenta de los alcances y mis limitaciones con el lenguaje de lo que yo quería decir y escribir. Así surge un lenguaje híbrido, entremezcla de español e inglés, aunado al caló, y que me fuera muy criticado por académicos y puristas que decían que eso no era lenguaje poético, lo cual, hasta la fecha, sigue sin preocuparme.

Escribes poesía, ¿para qué? ¿Para quién? ¿Desde qué perspectiva lo haces: canónica o marginal, central o periférica, tradicional o contemporánea? En todo caso, ¿qué clase de poeta eres según tu propio criterio? ¿Cómo defines tu obra poética en el contexto de la poesía bajacaliforniana, mexicana, actual?

Escribo por gusto y por necesidad. Gusto de poder escribir un testimonio de mis pensares y sentires de lo que sucede dentro de mí y a mi alrededor. No escribo para lectores especializados en poemas, no lo hago para ser aprobado por las camarillas culturales, menos para la crítica literaria o para ser miembro del 'panteón' centralista de los dioses poetas; lo hago porque me gusta compartir mi visión del mundo, saber si los lectores comparten mi percepción de la realidad o, también, para saber si puedo expresar lo que otros quisieran y no pueden hacerlo.

Me considero un oficiante de la palabra que aporta una pieza más para armar este rompecabezas que es la frontera. Considero que el arte, y en este caso concreto la literatura, es una manifestación para darle sentido a este mundo en el que vivimos, con sus particularidades, especificidades, locuras y grandezas.

Algunos críticos y ensayistas como Jorge Ortega, Eduardo Arellano, Gabriel Trujillo, Shane Liddick, Javier Hernández Quezada, Heriberto Yépez y Jennifer Insley-Pruitthan han publicado algunos análisis de mi obra y argumentan que, en términos generales, mi trabajo está centrado en problemáticas sociales utilizando un lenguaje sencillo, reconocible y cotidiano. Dicen.

En términos de libertad expresiva, de experimentación verbal, de rigor imaginativo, ¿cómo ves la situación de la poesía bajacaliforniana del siglo XXI? ¿Qué le falta y qué le sobra? ¿Cómo te ubicas en ella?
No me dedico a la crítica literaria formal, pero puedo decir que han aumentado exponencialmente los grupos que se dedican a las presentaciones y publicación de poemas en Tijuana, la mayoría diletantes, bastante inocentes, según yo; pero quienes me gustan por su escritura, tanto temática como formalmente en las nuevas generaciones tijuanenses, son Yohanna Jaramillo, Omar Pimienta, Gabriela Torres, Jonathan Curiel, Mónica Morales, Hilario Peña, Hadia Farfán, Gabriel Ledón, Jesús García Mora, Dante Tercero, entre otros. Si bien abrevan de conocidas tradiciones literarias, sus búsquedas de expresión luchan

por expresar este mundo fronterizo, denunciar injusticias sociales y expresar las honduras de la pasión amorosa.

Escribir como nativo o residente del norte del país, de la frontera incluso, ¿en qué sentido condiciona tu escritura, ¿de qué forma reaccionas a esta realidad: evadiéndola, confrontándola, asumiéndola como propia? ¿Qué diferencias hay entre escribir poesía en Baja California o fuera de Baja California? ¿Las distancias ayudan a comprender mejor tus propios orígenes, a entender mejor los lazos afectivos, sensibles, conceptuales que te unen a la matria peninsular?
La mayoría de mis escritos están influidos por el paisaje social y natural el cual reflejo a través del lenguaje del norte; esto para mí es inevitable; asumo la responsabilidad de expresar lo que me sucede en este contexto social y natural, y lo hago gustosamente. "Cada quien es como es su tierra y su aire. Cada quien es como el cielo es bajo o alto, el aire pesado o claro y cada quien es según haya o no viento ahí". Así lo escribe Gertrude Stein.

De tus libros publicados, ¿cuál es el que consideras sea el más fiel a tu experiencia vital, a tus búsquedas creativas y por qué?
Elamoroso Guaguaguá y *Cuervo de Luz*. En el primero integro, como ya lo había hecho anteriormente en *Blues Cola de Lagarto*, un lenguaje norteño, tijuanense, que no era considerado, según la crítica formal y académica, como lenguaje poético. *Elamoroso Guaguaguá* me da la libertad de integrar una lengua viva para representar la realidad cotidiana y, a la vez, hacer testimonios pasionales

de la realidad tijuanera. Elaborar un espejo vivo, esa era mi intención.

En cambio, en *Cuervo de Luz* realizo un recorrido testimonial de mi paso por el mundo del conocimiento y las emociones, una especie de bitácora del corazón y el cerebro en mi ruta de vida. Es el libro que considero más personal, más íntimo.

¿Cómo ves a la poesía que se hace en la frontera norte, en Baja California específicamente? ¿Qué poetas de la entidad han aportado obras significativas y cuáles han sido sus aportaciones fundamentales a la lírica nacional?
A lo largo de la frontera norte hay grandes voces, distintas entre sí: Miguel Ángel Chávez, Claudia Luna, Guillermo Meléndez, Edgar Rincón, Mercedes Luna, Enrique Servín, Micaela Solís, Rogelio Treviño, Armando Alanís Pulido, José Javier Villarreal, Francisco Luna, Alejandro Zeleny, sin olvidar al maestro Abigael Bohórquez, y otros más; residentes bajacalifornianos con fuerza poética, no sé si con importancia en la lírica nacional (centralista) pero sí con una obra significativa, están Tomás Di Bella, Flora Calderón, Pancho Morales, Omar Pimienta, Eduardo Arellano, Raúl Navejas, y otros.

¿Qué tendencias predominan hoy en día en la poesía bajacaliforniana contemporánea? ¿Hay estudios sobre tu obra y si no hay qué impacto tiene la falta de un aparato crítico alrededor de la practica poética de un poeta como tú?
A grandes rasgos creo que hay dos tendencias en la escritura de la poética bajacaliforniana: una preocupada por

la formalidad y la trascendencia del ego, por reflejar instantes de epifanía individualista, por captar a través de un lenguaje formal, impoluto, inmaculado, y a veces incomunicable, la personalidad de quien escribe desde una posición automarginada, pero sin grandes riesgos y, por otro lado, una escritura preocupada por testimoniar la individualidad en un mundo caótico, una realidad que se cae en pedacitos, con la intención de compartir lo común a todos los integrantes de la sociedad, con un discurso a veces caótico y despreocupado pero comprensible

Ya no vivimos en la era de la divinización del poeta, de la sacralización de la poesía. Ahora se escribe desde la cotidianidad de cada quien, desde la realidad de cada uno. La poesía radica hoy en un discurso más directo y personal, en la plaza pública, en las redes sociales, en la democracia de las palabras. ¿Cómo la vives tú? ¿Cómo la difundes al mundo?
Nunca he sido un escritor de grandes ediciones. He difundido la mayor mi trabajo literario a través de ediciones de autor que van desde tirajes de 25 a 300 ejemplares. He utilizado, a través del tiempo, los recursos a la mano: primeramente, las fotocopias, después, el correo electrónico y, últimamente, el *feisbuc*. Otros recursos han sido las participaciones en encuentros literarios regionales, nacionales e internacionales, presentaciones de obra en instituciones culturales, así como en recintos educativos, aunque también he leído en centros comunitarios, camiones urbanos, taquerías de esquinas, hospitales de enfermos terminales, centros de rehabilitación para mujeres,

parques públicos, centros de detención para adolescentes, calles y cantinas en puertos y desiertos.

He sido apoyado por instituciones culturales, pero más bien los amigos son los que más me han ayudado a difundir mi obra escritural, lo cual me ha permitido realizar lecturas, publicar textos y viajar a encuentros en ciudades como Tijuana, Hermosillo, Guadalajara, Ciudad de México, Monterrey, Zacatecas, Ciudad Juárez, Chihuahua, Tampico, etc., o visitar y leer en ciudades de California como San Diego, Los Ángeles, Stockton, Merced y San Francisco; y Vancouver, en Canadá.

Asimismo, una antología de mis poemas, titulada *Nuestras vidas son otras*, que fue coeditada en el 2010 por NortEstación, de Tijuana y Aullido Libros de España, por el editor y poeta español Uberto Stabile, me permitió viajar a Huelva, Punta Umbría, Bilbao, Madrid, Sevilla, Toledo, en España; a Lisboa y Sintra, en Portugal; a Tánger, en Marruecos, y a Medellín, en Colombia.

A partir de esos encuentros y viajes, he intercambiado mis poemas y han sido traducidos al inglés, alemán, francés, italiano y portugués. Supongo mis poemas gustan.

En una sociedad como la nuestra, tan pragmática, tan consumista, plena de modas efímeras, ¿aún hay espacio para la poesía o ésta sigue siendo una actividad minoritaria, un culto académico, una secta protegida institucionalmente, pero sin repercusiones en la sociedad en general? ¿Con qué clase de interlocutores cuenta tu poesía? ¿A quién se dirige aparte de ti mismo o del círculo que la frecuenta y practica como creación literaria?

Creo que la función del arte es comunicar, testimoniar, reflejar y poner en duda las situaciones sociales, de tal manera que los lectores reciben la literatura como un puente que llega a sus corazones y, a su vez, sensibiliza a través de la lectura porque, si bien el arte no es un instrumento de cambio, lo que mueve dentro de uno a través de la lectura, es susceptible de provocar una reacción de cambio al mundo circundante.

El arte, pues, no es inmune a la problemática del mundo, aunque algunos artistas traten de evadir su responsabilidad. El arte no explica la realidad, más bien la expresa. De esa manera considero que el arte, la literatura, me dice más sobre la historia de la humanidad que los datos y cifras oficiales. Al leer la literatura del pasado encuentro las frustaciones y desencantos, los sueños y deseos en viva voz, y nos damos cuenta que los problemas y las esperanzas, el desamor y los amores son los mismos desde siempre.

No creo que los poemas o libros de poemas cambien la historia, sobre todo con las ediciones mínimas en tiraje y los poco lectores, sin embargo, algo queda, algo se mueve después de leer un buen poema; los grandes cambios se dan a partir de pequeños grupos sensibles y críticos en una sociedad.

En un mundo donde las economías globales han cosificado a la sociedad y sus relaciones, el arte cumple una de sus tantas funciones: la de hacer sensible la realidad, y al ser sensible a las relaciones humanas, la búsqueda de un cambio en las personas y la sociedad para que la felicidad sea el pan nuestro de cada día.

Luis Cortés Bargalló

¿Qué te llevó a la escritura poética? ¿Qué te hizo poeta? De tus primeros versos a los actuales, ¿qué ha cambiado en tu forma de escribirlos? Hoy en día, ¿cuál es tu relación con el lenguaje poético, con lo que quieres decir a través de tu poesía?
Primero me di cuenta de que podía hacerlo, que –literalmente– era algo que sentía al alcance de mi mano, aunque en realidad, y tuvo que pasar algún tiempo para saberlo, se trataba de una escritura tropezada, una mera inclinación que estaba más cerca de una suerte de deseo inasible pero poderoso, algo que, con el ánimo de entenderlo, di en llamarle después (para mí mismo, con una mezcla de romanticismo y sexualidad), "pasión sin objeto". Ésta se posaba en las sensaciones, en los nudos de la emoción o la experiencia con un puñado de palabras, lo más seguro es que prestadas, pero también –todo ello sin advertirlo mucho– en los mensajes y aun las atmósferas de los poetas de distinto orden y tiempos a los que tuve acceso entonces y cuya proximidad procuré desde muy joven, aunada, sin duda, a la de las voces provenientes del rock, el swing, el blues, que hasta la fecha me acompañan. Ese impulso –por el que sigo teniendo respeto y cuidado– se vio alterado cuando, inevitablemente, el acto de escribir –particularmente un poema o algo que pretendiera serlo– y su relación con el lenguaje se hicieron más conscientes y, en esa medida, reclamaron sus propias exigencias cruciales; a contrapelo, éstas se convertirían en algo esencial para mí, aunque sumamente perturbador,

porque me hicieron saber que mi relación con las palabras sería difícil, conflictiva, áspera y que escribir sería a veces muy poco grato, pero que sólo a través de esas fricciones y tensiones (acaso las pulsiones de la exterioridad calando en el interior de la palabra) podría al menos vislumbrar y experimentar algo de eso que reconocemos como sustancia poética; y aquí no sólo estoy hablando de lidiar con aspectos formales ni del decoro o la claridad, sino más bien de la constante preocupación por una expresión que arrastre los elementos materiales de una experiencia y, en el mejor de los casos, pueda transferirla así. Aunque no es frecuente, cuando me llego a reconocer en alguno de mis primeros textos es por lo que no hay en ellos, pero que de alguna forma subsiste como una ausencia señalada, la misma que quizá se ha circunscrito ahora por una serie de signos más personales que la acentúan más intensa y hasta apremiantemente. Quizá de lo que estoy hablando es, a fin de cuentas, de una indagación cuyo instrumento es la palabra o, más bien, cierto estado de ella, porque es poco lo que sabemos de eso que insistimos en llamar "la propia voz" que, por encima de sus singularidades y gestos, muy poco tiene de propia y cuya fuerza radica, precisamente, en eso.

De lo que nunca he tenido certeza, y a estas alturas tampoco me interesa tenerla entre tantas incertidumbres mayores, es si soy o no "poeta", ¿en qué podría ayudarme?; cuando escucho a alguien que dice "nosotros, los poetas...", no puedo evitar una sensación de incomodidad –acaso envidia, porque podría ser cierto–, pero la verdad es que no veo, desde mis limitaciones, cómo esa afirmación señale una identidad. Creo, con Keats y tantos otros, que el poeta no es del todo un concentrado ontológico, sabemos de él por su decir y por su muy personal forma de reflejar la poesía (esa "versión no oficial del ser", según Wallace Stevens), por su llamado, que no es a seguir sus pasos sino a enfrentar la experiencia de salir de nosotros mismos para resonar con el mundo (y la alusión musical no es gratuita). David Huerta me dijo una vez que César Vallejo no era un artista sino "una fuerza de la naturaleza" y creo que su aseveración se aplica a todos los grandes poetas, al mismo tiempo que abriga la noción tradicional del quehacer poético que, si bien puede, cuando resulta urgente, dar señales de alguna identidad, su función y su misteriosa forma de "ser" son otras.

En cuanto a lo que "quiero decir", me parece que el acto volitivo en el poema sólo constituye, de manera intermitente, una parte de él y cuando se impone casi siempre lo hace naufragar. Es cierto que se toman decisiones en función de ese querer decir y es un hecho que hay experiencias, emociones, inquietudes, realidades y aun ideas y sufrimientos que nos obligan a comprometernos con su expresión; "debo hacerlo, debo escribir sobre eso, siento la exigencia, tengo que intentarlo, me urge", son necesidades legítimas que proveen de una tensión indispensable para el desarrollo del poema e incluso para que éste alcance una mínima condición sensible, pero una vez en ese punto el poema pide respirar por sí mismo y la nitidez o la opacidad con que se va manifestando sólo depende de quien escribe en la medida en que sepa o intuya qué medios allegarle, pues estoy convencido, y ya lo he dicho en otra parte, de que el poema sabe más que el poeta. El poema sabe también a qué temperatura se está cocinando y eso, en algo nos vuelve a remitir a sus orígenes, a la disposición inicial que está en juego y que se aclara o ahonda, pero casi siempre en otro lugar. No se trata de un proceso que se hace en frío o sobre el que se puedan hacer demasiados cálculos, "la emoción recordada en la tranquilidad" de la que habla Wordsworth no es una condición indispensable para que se dé el poema, estoy seguro de que muchos poemas de Juan Gelman o de Max Rojas se concibieron y escribieron en condiciones agobiantes y a muy altas temperaturas emocionales o vitales, y esto queda trabado en sus palabras y en los intensos efectos que producen. El poema, finalmente, terminará por decirnos de viva voz "lo que queríamos decir" y, de paso, si podemos hacerlo o no, independientemente de la voluntad concreta de decir algo; es por eso que desde su realidad también puede mandarnos señales sobre la nuestra.

Escribes poesía, ¿para qué? ¿Para quién? ¿Desde qué perspectiva lo haces: canónica o marginal, central o periférica, tradicional o contemporánea? En todo caso, ¿qué clase de poeta eres según tu propio criterio? ¿Cómo defines tu obra poética en el contexto de la poesía bajacaliforniana, mexicana, actual?

Escribir poesía, pero, sobre todo, concederle su espacio en el mundo es, en muchos sentidos, un despropósito fundamental y necesario; uno que acompaña al ser humano desde que se hizo del habla y la escritura, y que las mantiene en guardia, muchas veces en contra de sí mismas y su vocación pragmática. La poesía no es sólo un agente cosmético del lenguaje (de eso y de sus complejidades combinatorias se ocupan, entre otras disciplinas,

Luis Cortés Bargalló

la retórica que, aunque muy sofisticada, también apunta hacia una práctica regulada del mismo). Cuando éste, como sucede crónicamente en nuestras sociedades actuales, ejerce en el día a día y sin tregua su capacidad autoritaria de generar sentidos unívocos y cada vez más connotados, polarizados y ciertamente pobres, cuando, además, esta capacidad es ponderada como la única posible, no resulta difícil identificarlo con un férreo o, según el caso, endeble soporte que, sostenido a saco, mantiene y da forma —así sea de manera falaz, venal y hasta criminal— a un determinado estado de cosas, es decir, a los poderes de distinto orden y a sus propósitos evidentes o no; en cualquier caso, el resultado siempre es un grave encogimiento de las comunicaciones interpersonales, más aún, de la conciencia —diría Hölderlin—, y un enfermizo vasallaje del sentido y lo que esto implica para el cuerpo social, cada vez más huérfano de voz y casi siempre sin saberlo y, por tanto, inerme; es ahí cuando la poesía, y casi sólo ella, abre otras dimensiones del lenguaje —quizá las más antiguas, por relacionarse con la desnuda naturaleza humana y aun con lo no humano—, al contraponer una corriente distinta y mucho más vital de significados y formas; al subvertir y aportar otras sintaxis para leer el mundo y al mismo tiempo no desaparecer de él; al subrayar el carácter material de las palabras, su viva plasticidad o su caudal erótico; al sustraerlas y rescatarlas del utilitarismo romo y restablecerles su potencia emocional, cognoscitiva y crítica, e incluso su legítimo carácter celebratorio y lúdico. Lo que quiero decir es que, por encima de su trabazón histórico-temporal —todo poeta escribe desde su tiempo y con él—, o de las convenciones formales, que las

83

tiene pues su quehacer ocupa un largo historial del que se tiene amplia y fecunda memoria, la poesía desregula, desestabiliza y altera los discursos más lineales, duros, y, en consecuencia, pone en crisis las realidades que pretenden sostener, fijar o representar. Antonio Gamoneda habla de la poesía como un lenguaje "no normalizado" y aunque lo dice desde un contexto y una razón muy específica – como sucede siempre con la poesía–, no puedo dejar de citarlo en extenso, por lo que nos enseña sobre su qué, su cómo y de lo que en ella, a contracorriente, puede alojarse como en ningún otro sitio:

> En nosotros ("los de la pobreza", los que nos hemos acercado al conocimiento de forma intuitiva y solitaria y los que, advertida o inadvertidamente, se han identificado con nosotros) la subjetivación radical y el patetismo resultarán naturales, y nuestro lenguaje no estará "normalizado" porque, aun amando la paz, el nuestro será un lenguaje poética y semánticamente subversivo. El sufrimiento de causa social es nuestro sufrimiento, y penetra, en modo imprevisible, nuestra conciencia lingüística.

Al leer sus poemas podemos sentir esa conciencia alterada donde las palabras pueden llegar a otros límites, que no se manifiesta ni remotamente en consigna o argumentación, sino en el estado convulsivo de un lenguaje "no normalizado" que desata la posibilidad de abordar la realidad que allí se alcanza de manera íntima –y aun sufriente y sensible–, como si nos hubiéramos sumergido en ella.

Este caso sirve sólo para destacar una de las tantas razones del "para qué" de la poesía o del poema, quizá porque personalmente me parece muy estimulante y

obvia; sin embargo, no descarto muchas otras, aunque
más difíciles de explicar, entre ellas el rotundo y cierto
"¡para nada!, ¡porque sí!" o, como han dicho tantos, para
nuestro consuelo o, sencillamente, porque no se necesita
permiso para hacerlo. Es probable que el "para qué" se
relacione con el "para quién", pero ya que vuelves sobre
esta pregunta más adelante y de manera más concreta,
aquí preferiría dejar el asunto, con un matiz de empatía,
en las muy famosas palabras de Baudelaire, cuyo poema
"Al lector", concluye: "¡Hipócrita lector —mi igual—, her-
mano mío!"

Vale la pena, así sea por encima, revisar las perspectivas que —para ubicar nuestro trabajo— propones de
manera encontrada, y quizá con la intención de que nos
inclinemos por las segundas de cada binomio, ya que las
primeras implican un cierto grado de imposibilidad para
quien escribe desde hoy, a saber, las disyuntivas: "canónica o marginal, central o periférica, tradicional o contemporánea". Entre las posibilidades que nos brinda el
tiempo en que vivimos, incluido su individualismo, está
la relativa libertad con que podemos recurrir y hasta ad-
herirnos —debido a tantas simultaneidades, intercambios
y resucitaciones— a una u otra tradición según nuestras
propias necesidades o afinidades, y esto afecta la confor-
mación y la imagen que tenemos de la propia y deter-
mina el tipo de relación que tenemos con ella. No obstante, los horizontes de lo canónico, lo central e incluso
lo tradicional cada vez se nos presentan más lejanos por
la enorme cantidad de contextos y especificidades que
hemos perdido para su cabal comprensión o por resultar ajenos a las prácticas reales del arte actual y sus bús-

quedas. La más lejana resultaría la perspectiva canónica, que abarca muchos aspectos de la vida y que, en lo que toca al arte, se basa en una prolija reglamentación, sobre todo de la representación simbólica y particularmente de la parte más formalizada de su construcción, es decir, la que podría ser más perecedera, aunque, en su momento, manejable por una determinada comunidad para la que, por distintas vías, tenía sentido. Por extensión, llamamos "canónicas" a las obras que se han convertido en modelos a seguir o contemplar y cuya comprensión nos lleva, de nueva cuenta, a un marco histórico y, claro está, al acopio de un instrumental analítico y crítico que muy pocas veces es del interés del artista contemporáneo (de ahí que las excepciones sean tan notables, aunque sólo se limiten a una actitud, ya que, en los resultados, el conocimiento y la inmersión en el modelo casi siempre se desvían del propósito canónico de emulación). En cuanto a la perspectiva central no debemos perder de vista que, por definición, nos permite el trazo, así sea provisorio, de lo periférico y lo marginal; para el caso de México tiene un peso considerable ya que ha sido dentro de ella que se han creado los paradigmas –que ahora podemos considerar históricos– de la poesía mexicana moderna, no carentes, al accionar como conjunto, de posturas diametralmente opuestas y polémicas, como parte de su riqueza. Aunque su atracción sigue siendo fuerte –dada su evidente calidad estética–, hacia las últimas décadas del siglo XX vimos emerger una creciente cantidad de poetas que encontraron, al cuestionarla como tal o al evitar el tono epigonal derivado de ella, lo que puede verse como una salida de la centralidad, muchas veces sin romper del todo, pero advirtiendo que se puede sobrevivir a ella y que eso, además, es necesario, tal y como sucedió con la literatura norteamericana después de la Segunda Guerra, aunque con otros componentes. Y sólo agregaría un comentario más: prescindiendo del gastado valor de uso que se le da al concepto y a la palabra "tradicional", ésta representa, en su mejor sentido, un ámbito fundamental para toda actividad artística ya que reivindica o rememora sus orígenes, sus prácticas y propósitos más antiguos.

Si tuviera que ubicarme en alguna de estas perspectivas lo haría en la contemporánea, la única que no necesita mayores aclaraciones –compartir un mismo tiempo, sus contradicciones, sincronías, disonancias, sus preocupaciones–, pues me resulta más amplia; además, indica un estar en el tiempo, así sea en alguna de sus muchas marginalidades, y porque dadas las características de la modernidad y aun de la llamada posmodernidad y su condición heterogénea, mantiene distintos puntos de contacto, a veces conflictivos o álgidos pero presentes, con lo tradicional.

A diferencia de algunos escritores que se han preocupado por establecer los rangos de sus poéticas o estilos, y hasta la defensa de los mismos, algo que consciente o inconscientemente quizá llegue a imponerse por sí mismo en la práctica, a mí me resulta imposible definir lo que hago, pues la impresión que tengo es que siempre está cambiando y que lo único que puedo hacer es seguir. En todo caso, podría decir que mis poemas o lo que sean mis escritos y sus pretensiones, buscan juntar la realidad de la experiencia con la de las palabras, y mantenerlas –por algún regalo de la intuición– cercanas y, de ser posible, con alguna argamasa musical; también advierto un cierto arrebato lírico que no puedo evitar y que bien podría dar al traste con todo lo que aquí digo, aunque nada nuevo digo. Son muchas las estéticas que me llaman la atención, entre ellas las de la generación beat y algunas de las asumidas por las vanguardias históricas, pero también los puntos de contacto que éstas reconocieron con distintas tradiciones y cuyo catálogo es enorme. También podría agregar que, por padecer –como todos– el absurdo, la irracionalidad e insensatez política, económica, social o ecológica en que vivimos, la desfachatez y miseria demenciales de quienes manejan los hilos y de sus comparsas, es posible que mi orientación política tenga alguna influencia en lo que escribo, y en ese sentido puedo decir que, en lo general, me inclino por las causas de la izquierda no ortodoxa y del llamado pensamiento crítico; por el igualitarismo, por la defensa de las libertades fundamentales, y por todo aquello que pueda paliar de manera real y verdadera el sufrimiento emanado de la pobreza, en lo particular, y la miseria humana, en su acepción más amplia.

Pero siguiendo con tus preguntas, ¿a dónde pertenece lo que hago, con qué carácter podría inscribirse allí?, pensando, sobre todo, en la poesía de Baja California. Como bien sabes, llevo años viviendo fuera del estado, en la ciudad de México; allí tengo una familia, allí he publicado mis libros y, por muy distintas y afortunadas circunstancias, a lo largo del tiempo me he relacionado con muchos poetas, artistas y editores, entre los cuales se encuentran algunos de mis mejores amigos. No obstante –y permíteme que me alargue con este asunto–, por

principio soy tijuanense, y no sólo por nacimiento o por
haber vivido allí durante más de veinte años, más los que
se acumulen en tantas idas y vueltas, sino porque de allí
proviene mi principal carga emocional, con la que sigo
aprendiendo a ver el mundo, ésa que sólo puede venir
del principio y que constantemente se refrenda cada vez
que estoy en el lugar, aunque éste sea una mudanza constante. Ningún otro sitio –y los hay–, por mucho que me
guste, que me atrape e incluso ame, puede proveerme tan
concreta y vívidamente de un origen. Allí nacieron mis
hermanos, allí vivió y murió mi padre, sonorense, como
tantos viejos pobladores, que llegó de niño al estado
entonces distrito– desde la década de 1920, primero a
Mexicali y luego a Tijuana, cuando ésta no tenía más de
diez mil habitantes (cuando él murió la ciudad ya ron-
daba los dos millones). En Tijuana tengo familia, casa.
Aparte de otras amistades, conozco a una buena cantidad
de poetas, entre los cuales, también se encuentran algunos de mis más cercanos y queridos amigos, a quienes
veo con bastante frecuencia y con los que mantengo un
riquísimo y gozoso diálogo que ya lleva una vida, cosa
que celebro. También he escrito –en el entendido de que
no soy muy prolífico– desde y sobre ese contexto, y hasta
la fecha trato de mantenerme al día con las obras que
allí se producen y en el resto del estado, algo que, y lo
advierto, no hago de manera sistemática ni con el propósito de formalizar algún ejercicio crítico o descriptivo
ulterior (a eso me dediqué hace ya bastante tiempo, con
el ánimo de poder visualizar de conjunto y con distintas
perspectivas, un momento que sigo considerando rele-
vante de la literatura bajacaliforniana). Si bien es cierto

que algunos textos míos han aparecido en antologías que pudiéramos denominar nacionales, mi trabajo también se ha incluido en una buena cantidad de las que reúnen muestras de la poesía bajacaliforniana. De modo que podría decirse que, desde donde vivo actualmente, escribo en una extraña marginalidad en la que gravita un arraigo fuerte y verdadero, pero que interactúa con la realidad de una suerte de exilio voluntario, en el que, por cierto, en un estar y no estar, me siento en casa –como se ha sentido mi madre, refugiada de la guerra civil española que, desde finales de la década de 1940, ha pasado y hecho toda su vida en Tijuana, dedicada, al igual que hizo mi padre, a la enseñanza–. Todo esto, es obvio que tiene un impacto en lo que escribo y no dudo que le dé alguna singularidad.

Como conjunto, la poesía en Baja California ha ido creando algo que se podría entender como una tradición propia, quizás al margen de una tradición central, y que abriga muy distintas actitudes y búsquedas, con sus respectivos –creo que asumidos– riesgos y hallazgos, y siempre bajo la presión de una realidad compleja y muy difícil de asir. En su construcción actual ha manifestado una creciente apertura que no pocas veces se ha vuelto un tanto escurridiza para quienes la estudian y que tratan de poner en foco su identidad. Es una apertura que no sólo me parece indispensable, pues establece una relación dinámica con un contexto cada vez más amplio e interdependiente, sino que en lo personal me interesa pues en alguna de sus zonas de tolerancia hasta podría caber yo o, mejor dicho, mi trabajo, con todo y sus particularidades, porque de no ser así, ¿en dónde más cabría?

Luis Cortés Bargalló

Frente a otros géneros literarios, como la narrativa o el ensayo, la poesía en Baja California ¿qué da a sus lectores?, ¿qué aporta a la fiesta de la palabra?, ¿qué temas domina?, ¿qué lenguajes alienta?

La tendencia general, que no es privativa de la literatura bajacaliforniana, apunta ya desde hace un buen rato hacia una textualidad capaz de difuminar las fronteras entre los distintos géneros literarios y, en parte, esto se debe a una intención estrechamente relacionada con la poesía y sus procedimientos. Además, no son pocos los poetas de Baja California que han incursionado en otros géneros en los que se nota la presencia de los recursos e intuiciones poéticos que, de alguna manera, influyen en su ejercicio; pienso en varios, entre ellos tú (GTM) –que los has practicado todos–, también en los ensayos de Alfonso René Gutiérrez, de Jorge Ortega, Heriberto Yépez, Fernando Vizcarra, por sólo mencionar a algunos; en cuanto a la narrativa: Roberto Castillo, Esalí, Carlos Adolfo Gutiérrez Vidal, Rosina Conde, Óscar Hernández, entre muchos otros, por no hablar de quienes, de regreso, han trasladado fuertes elementos de la narrativa a su trabajo poético, el propio Yépez, Omar Pimienta o la mayoría de quienes practican vertientes experimentales (Mayra Luna, Marcia Ramos) o de lo que podría entenderse como un "neoconstructivismo" (Tere Avedoy, Patricia Binôme), por ejemplo. Así que, más que hablar de la poesía frente a otros géneros, cabría decir "con" ellos.

Del lado de los narradores, también hay acercamientos a la poesía, al vuelo podría pensar que, por la forma de ensamblar textos de muy distinta índole y resistencia, muy cercana al collage y aun a la improvisación, Rafa

Saavedra, entre otros, se asomó a las licencias de la poesía; y qué decir del evidente impulso poético que anima y articula la narrativa de Gabriel Ledón, a quien acabo de leer hace poco. Pero hay otros desbordamientos: la deliberada interacción con las artes escénicas o visuales, ahí están las propuestas —a veces con ingredientes conceptuales— de Amaranta Caballero Prado o Bibiana Padilla o, más orientada hacia la presencia dramática y la voz, Elizabeth Cazessús; otro más es el que se relaciona con la protesta social y el espacio público, como los movimientos que llevan a cabo algunos colectivos; pienso en los que participan Jhonnatan Curiel y Mavi Robles Castillo, o Johana Jaramillo y Adrián Volt, integrados por personas con distintos intereses y que, además de incursionar en incipientes formas del performance y la instalación, han desembocado en talleres, festivales, jams de poesía y proyectos editoriales independientes. Personalmente encuentro en los registros que se han difundido de algunas de estas acciones momentos significativos y de verdadero acercamiento con la gente; para muchos —recibir una hoja impresa, atender a una pieza, un evento o una pinta con un poema o escuchar uno en el trayecto del transporte público o en la calle— es, sin dejar de lado los mensajes políticos que les dan sustento, su primer contacto expreso con la poesía y eso constituye, por sí mismo, un acto poético.

Más allá de su cercanía o lejanía con alguna de estas tentativas —que sólo mencioné como rápidos ejemplos de interacción con otros discursos—, aquí debo seguir con una lista de nombres (quizá con un mayor énfasis en los poetas de Tijuana, por ser los que tengo más presentes) en

Luis Cortés Bargalló

la que sólo alcanzaría a reconocerse que la poesía en Baja
California (la parte que conozco, pues sólo soy un lector
interesado, acaso expuesto, y no un estudioso que, tras
un reconocimiento exhaustivo –como los que han hecho
Humberto Félix Berumen o tú–, pueda proponer organi-
zada y críticamente sus alcances como conjunto) presenta
una muy amplia gama de intereses, por no hablar de la
variedad de procedimientos formales involucrados en su
expresión. Además, dentro de la obra de un mismo autor
se llegan a dar muchas intersecciones en las que al lado de
un flujo emocional o amoroso, por ejemplo, se revela la
presencia de un determinado rasgo histórico, geográfico
o político; en otros cuyo mayor énfasis podría estar puesto en un discurso realista y hasta naturalista irrumpe el
asedio de entidades fantásticas o el indicio de una asociación surrealizante; poetas aparentemente interesados por
la experimentación lingüística de pronto son inundados
por un sentimiento nostálgico con cerrados pasajes auto-
biográficos, confesionales y prosaicos. También se dan los
casos de autores que manifiestan en un momento dado
inflexiones muy notorias en sus puntos de vista y trata-
mientos textuales.

El interés por el dominio de las formas también es variado y se da en muchos niveles y grados de acercamiento;
en términos muy generales (y no quisiera que esto se en-
tendiera como una clasificación pues los contornos llegan
a empalmarse), hay quienes dejan ver una evidente conciencia de ellas, incluso al evitarlas, por citar algunos, Jorge Ruiz Dueñas, Ruth Vargas Leyva, Ana María Fernández, Raúl Jesús Rincón, Víctor Soto Ferrel, Alfonso René
Gutiérrez, tú mismo (GTM), Mara Longoria, José Javier

Villarreal, Víctor Hugo Limón, Rosa Espinoza, Yvonne Arballo, Manuel Romero, Flora Calderón, Jorge Ortega, Elizabeth Algrávez, Horacio Ortiz Villacorta, Marvin Durán, Juan Reyna; los resultados, sin embargo, no podrían ser más distantes: desde concentrados poemas que buscan poner en foco un sentimiento, un hecho, un pensamiento, una sensación o imagen, hasta desarrollos que los interrogan, los desdoblan o desmarcan, incluso con la determinación de destacar algún atributo simbólico o de abordar una perspectiva irónica; desde el verso contenido hasta el dispendioso y aun atropellado, expresiones que van desde el minimalismo a las cercanías de lo neobarroco. En su proximidad, pero con un tinte de experimentación y mucho de lenguaje posvanguardista (en una línea que bien podría tener algún antecedente lejano en ciertos textos de Horacio E. Nansen), están los poemas de Tomás y Antonio Di Bella, Rael, Gutiérrez Vidal y algunas de las poetas que mencioné al principio. También hay para quienes las preocupaciones formales están presentes pero que da la impresión de que preferirían mantener con ellas una relación más sesgada, una que les permita atender las necesidades de un discurso más directo, incluso intimista, a veces descriptivo o coloquial (aunque no siempre), existencial o cercano a los modos e intereses del habla (algo que, por supuesto, no evita el enfrentamiento con el lenguaje y sus mecanismos): Pancho Morales, Roberto Castillo, Rosina Conde, Óscar Hernández, Delia Valdivia, Gerónimo Maciel, Gilberto Zúñiga, Alfonso García Cortez, Sergio Rommel Alfonzo, Carlos Martínez Villanueva, Patty Blake, Noé Carrillo, Heriberto Yépez, Omar Pimienta, Karina V. Balderrábano, Antonio León, entre otros, y, vuelvo a señalarlo, los resultados también son muy distintos en cada uno de estos poetas, así como la tensión que establecen con las formas y asuntos que nos proponen, incluidos sus enfoques humorísticos y el sarcasmo. Observo también una poesía que podría llamar del desparpajo (a la que, por cierto, tampoco son del todo ajenos algunos de los que ya he citado en todas las aproximaciones anteriores) que, de manera deliberada o no y por diversos motivos, entre ellos la denuncia o el descontento, rehúye las elaboraciones de carácter estético, citaré tan solo dos casos ya que de ellos tengo antecedentes de trabajos con otras perspectivas formales: Jhonnatan Curiel y Luis Gastélum.

Como puedes ver, no pude evitar –así sea muy de paso– la mención de un medio centenar de escritores, a pesar de que –con toda seguridad– se me fueron muchos entre los que he leído y otros tantos que no, quizá los más jóvenes o quienes publican principalmente en medios electrónicos (insuficientemente documentados). Lo que me queda claro es que la poesía bajacaliforniana (lo que alcanzo a ver de ella) tiene mucho que decir a sus lectores y que para el lector de la entidad le brinda un inquietante espejo en el que –con sus claridades evidentes, con su turbiedad y distorsiones– podría descubrirse en cualquier momento, porque ahí hay mucho de lo que en este preciso momento está viviendo, y más aún, de lo que le ocurre a diario inadvertidamente, ¿no decía Butor que todo pasa por las palabras?

En términos de libertad expresiva, de experimentación verbal, de rigor imaginativo, ¿cómo ves la situación de

la poesía bajacaliforniana del siglo XXI? ¿Qué le falta y qué le sobra? ¿Cómo te ubicas en ella?
Creo que la percepción que las nuevas generaciones tienen del contexto cultural en el que se mueven es distinta de la que tienen las generaciones anteriores y todavía activas, basta con asomarnos a la manera en que lo han ido conformando unas y otras; sin embargo, lo que es un hecho es que en la actualidad –así me lo parece– todas han encontrado, con sus distintas percepciones y propuestas, su lugar sin necesidad de descalificarse mutuamente de manera tajante y radical. Distanciamientos hay, pero también colaboraciones. Por lo que he visto, no es que todos estos posicionamientos se den en santa calma y sin conflicto, pero tampoco se corresponden con el tono y la atmósfera enrarecida y enfermiza con que los presentan algunos blogueros, a veces ingeniosos –siempre vulgarones, hay que reconocerlo–, quienes, sin perder el tiempo en argumentaciones y con la sola espada de la grafomanía acéfala, descabezan a quien pueden (es decir, todos parejos y fregados).

Todo esto lo señalo ya que tanto la necesidad de una mayor libertad expresiva como la experimentación nos remiten forzosamente a un determinado medio, porque terminan por fijarse en él y contra él reaccionan y operan, casi siempre sobre una zona bien concreta. No obstante, con un poco que la ampliemos, el panorama tiende a difuminarse porque los contextos a los que me refiero –y eso los torna más complejos y huidizos– no se limitan a las manifestaciones culturales y a lo producido en el estado o a sus posibles modelos y, me consta, para muchos ni siquiera es un horizonte referencial ni una "tradición" con la que se identifiquen (a pesar de que –y repito algo que ya dije antes–, "por compartir un mismo tiempo, sus contradicciones, sincronías, disonancias", en un momento dado y desde cierta óptica estén circunscritos en ella). De modo que se trata de un medio que constantemente se recontextualiza, un horizonte móvil en el que los términos de libertad expresiva y experimentación podrían tener un valor bastante relativo.

Por otro lado, la pura libertad expresiva o la experimentación no son por sí mismas un indicador del vigor o la vigencia de una literatura. Tanto en un terreno como en otro conozco muestras palpables en la poesía bajacaliforniana, pero no me atrevería a definirlas como tendencias generalizadas o hegemónicas (que, por otro lado, tampoco las hay, o no me resultan tan obvias entre lo que he visto); en primer lugar, porque, con sus destrezas y descalabros, se han presentado, con distintos marcos de referencia, de manera casi cíclica en las generaciones de los últimos treinta años o más, en segundo lugar, porque quienes las han cultivado, también se han interesado por otros registros (y no pierdo de vista que, al aseverar algo como lo anterior, me equivoque rotundamente, pues sigo hablando desde mis limitaciones y, por si no fueran suficientes, desde una rara condición de "extranjero en mi propia tierra"). Lo que me resulta insoslayable para una mejor comprensión del trabajo que hacen los poetas de Baja California, porque perfila sus inclinaciones y algunas de sus búsquedas, es tomar en cuenta el constante cambio, la transformación, adaptación y desplazamiento de sus puntos de referencia, que por cierto no necesariamente provienen de la mal llamada alta cultura, sino de otros campos, por no decir continentes culturales; un tipo de movilidad sui generis que bien podría caracterizarlo y que a estas alturas parecería que no va a tomar otros derroteros.

En cuanto al "rigor imaginativo", creo que sólo te puedes estar refiriendo a la forma en la que cada poeta construye o refleja sus imágenes, cosa que habría que particularizar y que en términos generales no puede servirnos como parámetro para pensar un conjunto (más adelante abordaré un asunto en el que hablo de la imagen en un sentido más concreto –la evocación o construcción del lugar– y del que quizá se pudiera desprender alguna observación general). Si te refieres a la imaginación como actividad mental o creativa, no veo cómo pueda someterse a "rigor" alguno sin perder sus principales atributos.

¿Ubicarme en esos términos?, ya lo di a entender –con cierta reticencia– un poco antes; no es que lo tenga muy claro –va y viene–, pero a veces siento que estoy un tanto desubicado y, por lo regular, cosa que sucede a la buena o a la mala, nunca falta quien termine por "ponerme en mi lugar".

Escribir como nativo o residente del norte del país, de la frontera incluso, ¿en qué sentido condiciona tu escritura, ¿de qué forma reaccionas a esta realidad: evadiéndola, confrontándola, asumiéndola como propia?
Antes hablé de una "carga emocional" que remito a mi lugar de origen y, claro está, a una serie de percepciones, situaciones, sensaciones relacionadas e imbricadas con él. Éstas, sin embargo, tienen para mí como una doble naturaleza que no podría atribuir al hecho de que mi experiencia de contacto cotidiano con Tijuana y otros lugares

del estado sea intermitente en la actualidad. Por un lado, se mantienen como una especie de telón de fondo que siempre está allí (y no todas están hechas de memoria, sino también de otra sustancia que quizá nunca pase por esa elaboración, por ejemplo, las que se relacionan con los espacios del desierto, el mar, las serranías, el incomparable olor marino que de pronto se interna en la ciudad); pero por otro, como dato puntual y al día, casi vertiginosamente se me imponen en un primer plano surgidas del mismo lugar, de sus calles, callejones, entrepisos, tiraderos, revestidas de una presencia temporal y espacial muy concreta, que constantemente se confronta con el resto de mis experiencias y que me hacen saber que en ese darse a contrapelo, en su singular forma de fijarse, van dejando una impresión muy intensa en lo que escribo y allí, precisamente, alcanzan una especie de conciliación, de reconocimiento, a la vez que marcan, en distintos niveles, muchas de sus inquietudes formales, sus enfoques (más allá de que lo tratado en los textos las aluda de manera directa o no). Esa realidad en la que pesa –como apuntas arriba– una condición "fronteriza", ambivalente en cada uno de sus escenarios, inveteradamente provisionales, absorbente o refractaria y, en muchos sentidos, extrema en sus dramáticos contrastes sociales, económicos, culturales, su conmovedora fealdad, hacinamientos, desamparo; soledades rescatadas por algún rescoldo solidario o, de mil maneras y a la vista, su vivir a la intemperie y en la orilla; pero también su devenir humano, esa peculiar forma de resistir improvisando, resanando, proponiendo un gesto, tantos trazos encontrados, con los que me identifico y que, inevitablemente se asoman en lo que escribo.

¿Qué diferencias hay entre escribir poesía en Baja California o fuera de Baja California? ¿Las distancias ayudan a comprender mejor tus propios orígenes, a entender mejor los lazos afectivos, sensibles, conceptuales que te unen a la matria peninsular?

Escribir en un lugar u otro, hace siempre una gran diferencia ("la circunstancia pesa", así llamó Maricruz Patiño al primero de sus libros), pero en el poema todo colabora como en una desembocadura: la distancia y la cercanía (del tipo que sean), el recuerdo y el olvido.

La distancia, por una parte, abre la posibilidad de aproximarse con otros ojos a todo aquello que de no ser así estaría perdido, lo que física, sensorialmente ya no está al alcance de nadie y que sólo se hace visible y late en la evocación o en la búsqueda de un espacio amplio donde todavía hay un lugar real para la pérdida y la ausencia, para el ejercicio creativo y emocional de la memoria; por otra, en nombre de todo aquello que está allí, "tan cerca, tan lejos", y que al saberlo como presencia, nos apremia a pensar al "otro" como una ventana abierta hacia nosotros mismos: "yo es otro".

La distancia se da en el espacio y en el tiempo, en los reductos de la soledad, pero todo poema aspira a la proximidad más intensa, a disolver la ambigua sensación de que "la vida está en otra parte".

De tus libros publicados, ¿cuál es el que consideras sea el más fiel a tu experiencia vital, a tus búsquedas creativas y por qué?

Como suele suceder, me inclino por el más reciente, *Filos de un haz y un envés*, y más aún por *La lámpara hacia abajo*, pero de éste no hablaré pues apenas se encuentra en proceso editorial (bajo el sello de Ediciones Sin Nombre y el Cecut). Del primero puedo decir que me vi envuelto por la necesidad de replantear mi relación con el verso —en un libro anterior, *Al margen indomable*, había explorado el poema en prosa—; pero no desde la perspectiva de su constitución formal, sino de su capacidad de sostenerse como un espacio autónomo, un soporte sobre el que pudiera colocar con distintos grados de adherencia una materia que sin él me resultaba huidiza y que, además, me interesaba conservar en ese estado, por sentirlo más cercano a la experiencia directa. Quizás esto suene muy abstracto o parezca que estoy hablando de pintura, pero en realidad creo que responde a una necesidad de concederle una mayor carga material a las palabras y que éstas puedan, provistas de corporalidad, hacer su indagatoria, aunque muchas veces se internen en un terreno muy subjetivo. El libro, sin embargo, está fincado en los datos e impresiones de la experiencia vital y de ahí que exhiba sus rupturas, desacuerdos, imposibles, ruido, y una serie de preguntas desprendidas de la incertidumbre, pero también del asombro.

¿Cómo ves a la poesía que se hace en la frontera norte, en Baja California específicamente? ¿Qué poetas de la entidad han aportado obras significativas y cuáles han sido sus aportaciones fundamentales a la lírica nacional?
Creo que en una larga respuesta anterior ya di suficientes señales sobre el primer asunto o, al menos, traté de hacerlo. Sin embargo, sí me gustaría decir algo sobre la última parte de tus preguntas. Pienso que el enunciado de

"lírica nacional" se vuelve cada día más difuso en la medida en que, en un "tiempo de excepción" –así lo llamó Benjamin– como en el que vivimos, frente a los fenómenos asociados a la globalización indiscriminada y voraz, se robustece –al menos por parte de los artistas– la necesidad de una cierta independencia desde la que sea posible acotar, perfilar y proponer los rasgos de una expresión que mejor refleje y particularice –temática y formalmente– lo inmediato y aun lo íntimo, con características propias y asumiendo el riesgo de saberse marginales y en muchos casos pisando los terrenos de lo autorreferencial. En este sentido, la "lírica nacional" es cada vez más la muy compleja suma de las obras que con mayor vigor se dan en una periferia cuyo centro se ha vuelto móvil, cuando no volátil.

¿Qué tendencias predominan hoy en día en la poesía bajacaliforniana contemporánea? ¿Hay estudios sobre tu obra y si no hay qué impacto tiene la falta de un aparato critico alrededor de la practica poética de un poeta como tú?
Me parece que ya hice un apunte sobre tu primera pregunta y, con los elementos que tengo a mi alcance, tratar de ir más allá me parecería una irresponsabilidad (si no es que ya incurrí en varias). Como una sugerencia relacionada con el quehacer crítico, sí me gustaría comentar que, de acuerdo con lo que he visto –y lo que quisiera ver–, ya va siendo tiempo de que se elabore y publique una nueva antología de la poesía bajacaliforniana, conformada ahora –y de manera exclusiva– por poetas nacidos a partir de la década de 1970 en adelante; que sea inclusiva, es decir,

que no sea producto de las inclinaciones de un solo grupo, que asuma riesgos y que, basada en una investigación
bien planteada, nos dé señales amplias de los registros e
intereses que hay, debidamente acotada y, de ser posible,
acompañada de un ejercicio crítico que aporte lo necesario para poder ser leída en su entorno real y actualizado.
Un conjunto así nos brindaría un punto de partida para
reconocer, con sus contrastes y líneas de fuga, las tendencias más evidentes, cuya visualización en este momento
quizá sólo está al alcance de algunos especialistas.

Keneth Patchen abominaba de los críticos de poesía
y los consideraba parasitarios de las obras, pero a mí me
parece que esto sólo puede decirse de aquéllos que care-
cen —y es verdad que los hay por montones— de un entendimiento profundo de lo que puede abrigar, con todas
sus orillas y escollos, el fenómeno poético. Personalmente
admiro y agradezco el trabajo de quienes sí parten de esta
comprensión, ¿y cómo no sentirse en deuda con ellos?,
pienso, por ejemplo en toda la riqueza de los textos de
Francisco Rico —y se trata de un crítico rigurosamente
académico— sobre la lírica española del siglo XVI, particularmente sobre las anónimas endechas de Canarias
en donde no descarta nada que pueda revelarnos las facetas más ocultas de sus sentidos, así como del entorno
estético, histórico y hasta psicológico en el que fueron
compuestas. Un trabajo así, es un verdadero regalo que,
además, nos deja ver entre líneas la voluntad de extender
la vigencia de una obra y cómo ésta puede todavía generar algún paisaje emocional en nuestros días.

La crítica que se ejerce sobre un determinado corpus
literario es una señal de sus alcances y su presencia contri-

buye a una realización más plena de las obras, pues forma parte del intercambio que éstas necesitan para alcanzarla.

Personalmente te puedo decir que sí se han hecho algunos estudios y notas sobre mi trabajo que me resultan valiosos para saber más de lo que estoy haciendo y si éste reúne las condiciones semánticas y formales para su recepción. También me han ayudado a saber con qué se relaciona, muchas veces para mi sorpresa o desconcierto. En cualquier caso, las veo como una forma de diálogo donde la última palabra todavía no está dicha por ninguna de las partes.

Las peculiaridades de la poesía de la entidad —clima inhóspito, urbes con distinta personalidad, el espacio fronterizo, la escasez de publicaciones—, ¿cómo influyen en la escritura poética?

Bueno, Gabriel, creo que tu enumeración corresponde más al hábitat bajacaliforniano que a las particularidades de la poesía que ahí se hace. Si obviamos esto —y creo que ése es el sentido de tu pregunta—, el clima social, los paisajes humanos y naturales, reunidos a los otros aspectos que mencionas o que bien podrías agregar, es innegable que influyen no sólo en la escritura poética sino en la personalidad de todo el arte que se desarrolla en la entidad, y más: desde los núcleos temáticos que —en términos muy generales— le preocupan, hasta la gama de sensaciones físicas y mentales que refleja y aun se le revela como determinante. Rastrear su menor o mayor presencia en las obras, sin embargo, no es tarea fácil ni algo que pueda formularse en términos simples o buscarse a través de hipótesis —con frecuencia provenientes de la academia—, que casi siempre apuntan hacia la construcción

de identidades o la apropiación simbólica del medio, incluido su devenir histórico; no es que las considere falsas
–no lo son–, pero se vuelven sumarias y se desentienden
del hecho de que hay infinidad de matices en el quehacer
artístico ante los cuales éstas son apenas sucedáneas y no
constituyen su principal motor, aunque puedan deducir-
se de su modus operandi; no olvidemos que toda obra de
arte es una expresión muy personal y hasta cierto punto
única, y que esta perspectiva nos brinda un entorno propio en el que las circunstancias vitales del artista, a las que
nunca es indiferente, tienen un peso específico y decisivo; sin embargo, éstas no siempre están presentes de manera explícita o literal ni son objeto de una representa
ción unidimensional ya que, por necesidad, están media-
das por cargas subjetivas que radicalizan el punto de vista y hasta lo someten a distintos y hasta enrarecidos órde-
nes sensoriales. Es por eso que descreo de ciertas fórmu-
las como el forzado "sabor local", la huérfana alusión circunstancial y, más aún, de lo pintoresco —sobre los que
la crítica, por convenir a sus supuestos, concentra a veces
sus observaciones, prescindiendo con frecuencia de una
valoración estética–; y los descarto como procedimien-
to infalible para otorgar una carta de identidad a una determinada expresión artística, ya que, por lo regular, sólo
son un componente superficial o, peor todavía, un mero
acto de nominalidad que en nada nos devela la realidad
que pretende designar ni en qué condiciones estamos in-
sertos en ella. O es que, para revelar una identidad bajacaliforniana, ¿será indispensable que las obras hablen de
la cebras de la Revolución o de las caguamas insoladas de
Palaco, o de los espíritus del Cuchumá, del silencio de La

Rumorosa?, ¿basta con la llana descripción de las sórdidas piqueras o los yonques?, ¿con el trasvase testimonial de las aberraciones y abusos de la Migra y sus contrapartes mexicanas; con la "composición de lugar" (en el sentido que le dan los científicos sociales), que acota los reductos, los colchones amarillos de los hypos fronterizos? Para ciertos propósitos, sí, pero para socializar una experiencia desde el ojo de la poesía, no necesariamente. Para eso hace falta reflejar o construir una imagen o un conjunto de ellas que puedan darnos algo más del locus designado, que no es el lugar dado sino el lugar real inundado y, en cierto sentido, ensanchado por la luz de la emoción (la señal de estar ahí, participando, así sea dolorosamente) y por su circunstancia intransferible pero comunicable y demandante siempre de mayor sentido. Bajo esa luz, en el espacio que nos cede, ninguna concreción está de más y hasta puede que reclame su inclusión directa y cruda. En los poemas de Omar Pimienta, por citar un ejemplo menos drástico, el registro puntual de los nombres de las tiendas del barrio es una escalera que nos lleva del olvido nebuloso a la presencia, de la indiferencia a la solidaridad con el vecino, de la fachada a los traspatios. Los taxis nocturnos que circulan en los poemas de Víctor Soto Ferrel, la intimidad e inminencia de los escenarios que recorren –la manera en que se van haciendo–, nos conducen a los claroscuros, a la interioridad de una ciudad que no puede ser otra que la del poeta. La luz desértica, sedienta, y hasta la textura del polvo que fija los inconmovibles objetos en la poesía de Jorge Ortega proviene de un lugar preciso que interviene las atmósferas y los designios de sus textos; el esplendor netamente tijuanense del tarro de cerveza que Pancho Morales congela con la mirada, que podría ser mexicalense si el de la mirada fuera Óscar Hernández, o las no menos frías criaturas que emergen del Pacífico en los poemas de Roberto Castillo y que en los de Gilberto Zúñiga le van saliendo al paso en la banqueta trasnochada y sucia, con sus alas rotas. Y podría seguirme con infinidad de casos, porque, por instinto ésas son las señas de identidad y lugar que puede dar un poeta, su manera de asir la realidad y ensancharla, o ¿dónde más podría cobrar su plena realidad el grupo de muchachas que sube por la cuesta que va del centro a la colonia Altamira?, ¿dónde más podrían estar ahora esas muchachas, de no haber sido cobijadas por el tiempo y el espacio vivos del poema de Raúl Jesús Rincón?

Ya no vivimos en la era de la divinización del poeta, de la sacralización de la poesía. Ahora se escribe desde la cotidianidad de cada quien, desde la realidad de cada uno. La poesía radica hoy en un discurso más directo y personal, en la plaza pública, en las redes sociales, en la democracia de las palabras. ¿Cómo la vives tú? ¿Cómo la difundes al mundo?

Creo que tu primera aseveración se podría extender a casi todo, quizá con la excepción de la divinización del poder y el dinero, aunque exista —insuficiente todavía— una corriente de pensamiento (y acción) que lucha por subordinarlos o, al menos, desenmascararlos críticamente por todo lo que, desde esa posición, contribuyen al malestar generalizado y a la desvalorización de las actividades y los principios indispensables para llevar una vida mínimamente digna. Hace más de siglo y medio que Baudelaire, arrollado por los caballos al cruzar el bulevar –al menos en el poema– vio rodar el "aura del poeta" entre la bosta y el "fango del pavimento", y no se lamentó por ello, sino todo lo contrario. El "pequeño dios" en el poema de Huidobro, es un desesperado poeta creacionista orillado a rehacerse con escombros; de modo que el hacernos a la idea de que el poeta también es "como cualquier hijo de vecino", no nos puede resultar tan novedoso, ¿o nos dicen otra cosa Efraín Huerta, Sabines, Lizalde o Ricardo Castillo, entre tantos? Por otro lado, escribir, expresarse desde lo cotidiano es una práctica muy antigua, allí están ciertos textos de los llamados líricos arcaicos de Grecia, la poesía china tradicional, por no hablar de la epigramática latina o de la intención que nos revelan los conmovedores retratos de Fayum, pintados hace dos mil años o casi. Hablar de lo cotidiano, con un lenguaje directo fue, también, una de las estrategias o necesidades más socorridas de la poesía norteamericana de mediados del siglo XX y en nuestra propia tradición sobran los ejemplos. Como se puede comprobar, la receta es sobradamente buena y ha sido eficiente durante siglos, pero ¿será la única para el nuestro?, ¿para abarcar sus complejidades, señalar o reflejar sus sufrimientos o alienaciones?, ¿para llevarnos a ese estado de conmoción del que han hablado tantos poetas?

¿Qué nos queda, entonces?, quizá, para librarnos del lastre de tantas preceptivas o de las certezas, las ambigüedades –"el medio es el mensaje"– de los espejismos mediáticos (en los que cada vez estamos más inmersos), la salida –así parecen decirnos algunos poetas– sea la desnudez (en la que creadores y lectores se hacen uno), como podemos advertir en los poemas más recientes de Rafael

Cadenas, o en la trepidante condición que nos revelan los muy breves poemas sefarditas de Clarisse Nicoïdsky que, con redes sociales, páginas web o sin ellas, en un contexto democrático —en caso de que exista— o no, sorteando toda clase de dificultades para su difusión, han encontrado a sus lectores para conmoverlos, al desnudo.

En una sociedad como la nuestra, tan pragmática, tan consumista, plena de modas efímeras, ¿aún hay espacio para la poesía o ésta sigue siendo una actividad minoritaria, un culto académico, una secta protegida institucionalmente, pero sin repercusiones en la sociedad en general? ¿Con qué clase de interlocutores cuenta tu poesía? ¿A quién se dirige aparte de ti mismo o del círculo que la frecuenta y practica como creación literaria?

Entre quienes —desde hace décadas— han pensado y acotado la posmodernidad, hay algunos que ponen en tela de juicio el principio rimbaudiano de que la poesía produce cambios en la sociedad y que, por tanto, el poeta tiene algún lugar en ella (y este asunto viene desde Platón); en el mismo sentido, también han cuestionado, entre otros, al proletariado y sus causas elementales en una suerte de realismo desengañado pero blando, hasta cierto punto eficiente y bastante ecléctico —pues no todo en él es nihilista—, en el que se pueden minimizar los protagonismos, cosa que parecería saludable de no contener en ello una serie fantasmal de enmascaramientos y simulaciones, y en el que la inercia y el marasmo de una sociedad narcotizada por la saturación mediática y el agobio económico, pero desmarcada por la postergación, toman una fuerza avasalladora, aunque fatua por el ayuno endémico de sentido. La otra cara de este estado de cosas —debe quedar claro– es la trivialización de los sucesos, "el ascenso de la insignificancia" del que habla Zygmunt Bauman (y también Castoriadis). En esos términos resulta inevitable y aun congruente, como pasa con casi todo, hacer la reducción que confina al quehacer poético a "una actividad minoritaria, un culto académico, una secta protegida institucionalmente, pero sin repercusiones...", es decir, a una de las aristas posibles de cierta exterioridad construida con el solo fundamento de la opinión, casi siempre adocenada. Desde ese ángulo no se me ocurre nada que pueda agregar, salvo que esta visión nos sigue hablando de la incomodidad que para el establishment (anquilosado, pero sólido) sigue suponiendo la actividad poética, que poco encaja con él, a menos que sea disminuida, como todo lo demás.

Quienes piensan, en sentido contrario –y como una reacción ingenua o bien intencionada–, que la poesía, por ser indispensable o un "artículo de primera necesidad", debe difundirse a toda costa (acaso "recotizarse"), así sea con otras envolturas, mercadeos, etc., incluso en el paquete de todas esas "fantasmagorías" –así las llamaba Kafka–, que abonan a una "huida de la realidad", están pensando en otra cosa que muy pronto se les va a deshacer entre las manos, pues la poesía no puede ser vista como un espectáculo, no lo es ni tiene los elementos para serlo, y desde esa perspectiva no brinda ningún tipo de "entretenimiento", aunque a veces pueda divertirnos o alegrarnos. La poesía es un asunto personal (uno de los pocos reductos que quedan para atenderlo) y es en esa medida y esfera (concretamente en nuestros días, porque no siempre fue así) que puede desatar su función liberadora y crítica, y, ¿por qué no?, revelarnos algún tipo de belleza, así sea de manera conflictiva.

Pensar en los interlocutores de un poema o una obra poética, pero, sobre todo, definirlos, es algo que, en sentido estricto, está fuera del alcance del autor. Aunque éste sepa que cuenta, según el caso, con pocos o muchos lectores y por encima de que algunos le den noticias de su trabajo, hasta aquí sólo se trata de estímulos o señales que a lo sumo pueden contribuir a desarrollar u orientar las posibilidades de sus impulsos creativos inmediatos o de las que se mueven en ese nivel —o acaso a las más mundanas del prestigio, que son harina de otro costal—. Lo determinante es que la obra, más allá de la sinceridad, la fuerza, los esfuerzos del autor y de sus habilidades artísticas y aun cuando éstas nos revelen al genio, siempre está inconclusa y sólo alcanzará su realización cabal al ser dimensionada, significada por una comunidad amplia que "participa" en su proceso creativo al hacerla suya y proveerla de un espacio y un tiempo reales en el que ésta puede darse. Así, la obra no se concluye hasta que llega a donde de veras cuenta, porque allí se hace y hasta crece o bien podría morir, en la "otra orilla". Y esto no es metafísica, sino algo que compruebo día a día como lector, al lado de otros, incluso al lado de los que no leen, como sabía Vicente Aleixandre.

GABRIEL TRUJILLO MUÑOZ

¿Qué te llevó a la escritura poética? ¿Qué te hizo poeta? De tus primeros versos a los actuales, ¿qué ha cambiado en tu forma de escribirlos? Hoy en día, ¿cuál es tu relación con el lenguaje poético, con lo que quieres decir a través de tu poesía?

Mi relación con el mundo de la poesía viene de mi infancia, en Mexicali. El ver el horizonte desértico y sentir que la luz era un referente a expresar, que la realidad era un espejismo a explorar, que las canciones que mi madre me cantaba eran conjuros musicales, palabras con su propia belleza a seguir. Empecé, sin embargo y a causa de la educación escolar, escribiendo poesía a la antigua, poesía de elogios y retórica pomposa. Sólo en la adolescencia, con las lecturas de la poesía contemporánea, me deshice de esas limitaciones y pude empezar la búsqueda de mi propia voz. Pero eso ya fue lejos de Mexicali, en Guadalajara y la ciudad de México, cuando estudiaba la carrera de Medicina y la vida era un enfrentamiento diario con la enfermedad, el sufrimiento, la muerte. Luego vino la etapa de los talleres literarios, ya de regreso a Mexicali, en la primera mitad de la década de los años ochenta del siglo pasado, cuando la autocrítica fue el filtro para aprender a escribir versos, para cuestionar lo ya sabido, para asomarme a las palabras para decir lo que vivía, lo que experimentaba, lo que imaginaba. Hoy sigo ese camino. Metido en mis propias discusiones, en mis propios debates, trato de hacer de la poesía una manera de clarificar lo que soy, el tiempo en que vivo, la cultura de la que formo parte. Escribo poesía para discernir mi lugar en el mundo.

Escribes poesía, ¿para qué? ¿Para quién? ¿Desde qué perspectiva lo haces: canónica o marginal, central o periférica, tradicional o contemporánea? En todo caso, ¿qué clase de poeta eres según tu propio criterio? ¿Cómo defines tu obra poética en el contexto de la poesía bajacaliforniana, mexicana, actual?
Como ya lo dije, escribo para tratar de comprender lo que soy, para dialogar con los demás de los mil y un asuntos que me importan. En su discurso de Bremen de 1958, el año en que nací, el poeta alemán Paul Celan dijo que "el poema no es intemporal", que, aunque contiene "una exigencia de infinito, trata de abrirse paso a través del tiempo (a través, no por encima)", porque el poema, como lenguaje, como creación humana, es "de esencia dialógica", necesita al otro para existir, requiere un lector para complementarse. Celan precisó que los poemas "están en camino: se dirigen a algo...hacia algún lugar abierto que invocar, que ocupar." Eso mismo pienso de mi poesía. Mi escritura en tal sentido es un viaje a la intemperie, una travesía por el desierto, un andar por lo que intuyo para descubrir lo que ignoro. Quiero ser tan solo un cantor de mi propio periplo. Con eso me conformo. Con cantar lo que me pasa. Y si lo que me pasa sucede en la periferia de mi país, en la frontera de mi cultura, bienvenido sea.

Frente a otros géneros literarios, como la narrativa o el ensayo, la poesía en Baja California ¿qué da a sus

lectores?, ¿qué aporta a la fiesta de la palabra?, ¿qué temas domina?, ¿qué lenguajes alienta?
Como en buena parte de México, en Baja California abundan los poetas sobre los novelistas y los ensayistas. Aquí destacan ciertas tendencias consolidadas, como la poesía del lenguaje, la poesía coloquial, el neobarroco, la poesía experimental y la poesía pura. Todas provienen del siglo pasado. Por más individuales y únicos que se presuman los poetas locales, en realidad sus temas se centran en su familia, su ciudad, sus experiencias de vida, sus lecturas. Es decir: en lo que conocen, en lo que les es cercano y querido. Pocos examinan, con rigor crítico, su propia obra. Pocos proclaman, en sus versos, un mundo aparte de los convencionalismos imperantes en la poesía mexicana. Yo veo a la poesía como un género utópico: lanza palabras al insondable futuro, empuja nuestras ideas y deseos al espacio profundo. Aclara los hechos que vivimos. Dilucida los aconteceres que somos. En todo caso, las aportaciones de la poesía bajacaliforniana están en su singularidad, en la perspectiva cultural con que algunos de sus poetas observan el mundo y lo reclaman para sí en sus poemas.

En términos de libertad expresiva, de experimentación verbal, de rigor imaginativo, ¿cómo ves la situación de la poesía bajacaliforniana del siglo XXI? ¿Qué le falta y qué le sobra? ¿Cómo te ubicas en ella?
Hay dos fenómenos en acción en la poesía bajacaliforniana: una profusión de aficionados (en el sentido de no ser autores congruentes con su tiempo ni conscientes de su lenguaje) que han vuelto a la cursilería romántica y a la

ingenuidad verbal de siglos pasados. Y una poesía becaria, que sigue al pie de la letra los dogmas del centro del país para poder acceder a la alfombra dorada del reconocimiento institucional. Lo interesante, parafraseando a los *X Files*, es lo que está afuera de estos fenómenos, lo importante son los poetas que se abren camino sin pensar en prestigios pero que son rigurosos con su propia creación. En nuestra entidad sobra gente que se dice poeta sin serlo, sin arriesgarse, sin explorar a fondo su propio oficio. Y falta que nuestros poetas sean críticos de ellos mismos, que no se sientan fácilmente satisfechos con sus obras. En realidad, no es culpa tanto de los poetas como de la cultura bajacaliforniana que carece de críticos de poesía, que carece de interés por entrarle a los poemarios como trabajos a investigar, como signos a indagar. La poesía es una reinterpretación de nuestra realidad en clave de asombro, de trasparencia, de historia propia. Es una aportación viva de todo lo que somos como individuos y como colectividad.

Escribir como nativo o residente del norte del país, de la frontera incluso, ¿en qué sentido condiciona tu escritura, ¿de qué forma reaccionas a esta realidad: evadiéndola, confrontándola, asumiéndola como propia?
Yo entiendo como propio lo que me pertenece por derecho de vida y de palabra: la existencia mía como nativo en la frontera, en los arenales de Aridoamérica, en la periferia de mi patria. La poesía que escribo abarca ese choque cotidiano, esa experiencia límite. Mi poesía quiere ser la evidencia de lo que soy y de lo que percibo de mí mismo, de mi entorno y mi sociedad. Este horizonte

plano que es Mexicali. Esta urbe destartalada en permanente construcción. Esta comunidad anclada en la quimera de la prosperidad y con la mirada puesta en el espejismo de la abundancia que nunca llega. Así escribo desde que volví a Mexicali hace ya 35 años. Como un hijo pródigo que escritura la casa de su voz, que plantea en sus versos las inquietudes de su paso por la tierra. Mi poesía intenta ser la evidencia del verano en su clamor, la prueba del desierto en sus maravillas y penurias, la huella de la frontera en su explosiva fricción. La creación poética, como lo dijo Wallace Stevens, es una vigilancia sobre nosotros mismos, sobre nuestras peripecias y percances; un conocimiento preciso del mundo como derecho a ser, como charla y leyenda, como fuego que nos hipnotiza y nos espanta a la vez. La poesía, al menos como intento practicarla, es una aproximación a los espacios salvajes -es decir: desconocidos- de la mente humana y es un acto de renovación de nuestro propio pensamiento. La veo como una fuerza verbal que nos incita a cuestionar las apariencias, que nos aísla para conseguir la comunión con los demás, que nos alumbra en plena oscuridad para hacer extraño lo habitual, cotidiano lo misterioso, verdadero lo ambiguo. Sean buenos o malos tiempos, la poesía es aire despejado para ver mejor, para vernos mejor en el camino. La capacidad de juntar nuestras incongruencias y darles voz y resonancia, identidad y sentido. Un rumbo que las aclare. Una dirección que las defina.

¿Qué diferencias hay entre escribir poesía en Baja California o fuera de Baja California? ¿Las distancias ayudan a comprender mejor tus propios orígenes, a entender

mejor los lazos afectivos, sensibles, conceptuales que te unen a la matria peninsular?

Yo viví en el sur del país cerca de seis años: en Guadalajara, Jalisco. Otro paisaje. Otra vegetación. Otra cultura. Allá aprendí a ver el mundo como un regalo, como un festejo, como una lectura perenne y al día. Pero en el caso de la literatura había una jerarquía impenetrable, una pirámide de poder excluyente con todo el que no era de esos rumbos. Por eso, en término de lazos afectivos, de libertad expresiva, me quedo con Mexicali, con su sol y su luz y sus calores. No soy un hombre de fe. El misticismo me parece medieval. El alma y el espíritu los veo como interpretaciones obsoletas de la condición humana, de la mente humana. El desierto me ha despejado la cabeza, me ha hecho ver el mundo en sus engaños y gozos, en su materialidad incandescente.

De ahí que a la poesía la vea como una herramienta de conocimiento: abre la mirada al mundo, despierta la curiosidad por lo desconocido. Es un instrumento para contemplar mejor la realidad, para interrogarla a fondo. Por eso el afecto que siento por una tierra como la mía. Porque te enseña a ver las cosas como son: sin filtros de por medio, sin la necesidad de conferirle una trascendencia al espejismo que nos contamos entre todos. Por eso la historia y la memoria ejercen un peso considerable en mi obra, lo mismo que el porvenir que nos aguarda, que la utopía que sembramos con nuestros actos y palabras.

En todo caso, el escribir en Baja California me ha dado la posibilidad de ser más austero en mis versos, más preciso en mis imágenes. Creo que si hubiera residido en otra región de México o del mundo, mi obra habría tomado otra dirección, otra estética, por así decirlo. Pero el vivir en el desierto te da un tono más seco, más escueto, más de soliloquio. Algo del discurso del eremita está en mis poemas. Una suerte de delirio que no se llena de ornamentos, que no se desboca hacia lo barroco, sino que se convierte en cristal, en piedra, en sal. En una sustancia elemental, primigenia, milenaria. Algo que arde al pronunciarse. Algo que te previene de no caminar por la literatura sin ver con claridad el camino que llevas, el tiempo que pisas, la luz que te consuela o te engaña. En mi poesía el pasado no es un ídolo para ser adorado sino un lugar de cuestionamientos, un sitio de prodigios por escrutar. Lo que importa aquí es el proceso de descifrar el mundo desde lo que de él percibo, desde los detalles que saltan a mi vista. Siempre he dicho que al escribirla lo que realmente hago es intercambiar imágenes por palabras y viceversa. Es un acto de transfiguración que tiene al lenguaje como testigo.

De tus libros publicados, ¿cuál es el que consideras sea el más fiel a tu experiencia vital, a tus búsquedas creativas y por qué?
He publicado cerca de 25 poemarios desde 1981. Es difícil seleccionar uno. De mi primera época, llena de una poesía muy visual, llena de lecturas y homenajes, me quedo con *Mandrágora* (1991) y *Atisbos* (1991). De los últimos tiempos apuesto por *Civilización* (2009) y *Poemas civiles* (2013). De las antologías de mi obra aprecio mucho *Rastrojo* (2001) y *Paisajes con figura al centro* (2011). En todos ellos la urbe fronteriza, la vida cotidiana, la nostalgia por otros tiempos y personajes hacen acto de presencia.

Los propios títulos de mis poemarios exponen los fundamentos en mi obra de lo visual y lo escritural por un lado y de la vida fronteriza por el otro: *Percepciones, Tras el espejismo, Moridero, Don de lenguas, Constelaciones, Palabras sueltas, Bordertown, Luces encendidas, Poemas traspapelados, Mutaciones y mudanzas* o *Colindancias*. Pero creo que el título que mejor describe mi relación con la poesía es el de la antología en inglés que me publicó la Universidad Estatal de San Diego: *Permanente Work*.

Están por publicarme dos antologías de poesía reciente: en la UABC sacarán *Sin orden ni concierto*, que abarca poemas escritos, mayoritariamente en prosa, entre 2008 y 2016. Y la Universidad Autónoma Metropolitana acaba de publicarme *Periferia*, que es una antología de poemas, mayoritariamente en verso, escritos de 2010 a 2014. Entre ambas creo que aparecen las vertientes poéticas en que más me empeño: la del canto al paisaje, a la historia, a la vida al límite, y la de la meditación de los mundos que nos acompañan, de la imaginación desatada que conversa con el tiempo, de la vida en sus rutinas y tropiezos. Lo cotidiano. Lo que nos envuelve en sus repeticiones y gustos. Eso que nos da identidad, nombre y destino. Eso que nos mantiene en movimiento y que, a veces, logra traducirse en una palabra, en un verso, en un poema.

¿Cómo ves a la poesía que se hace en la frontera norte, en Baja California específicamente? ¿Qué poetas de la entidad han aportado obras significativas y cuáles han sido sus aportaciones fundamentales a la lírica nacional?
La poesía bajacaliforniana es rica en miradas de asombro y en guiños de advertencia, es capaz de ver la realidad sin eufemismos, de cantarle a la vida en sus minucias, en sus

detalles. De los poetas actuales, los que mantienen su escritura en sintonía con los cambios del mundo y a la vez son fieles a su propia voz, me quedo, para mi gusto particular, con Francisco Morales, Víctor Soto Ferrel, Elizabeth Cazessús y Luis Gastélum, entre algunos de los que residen en la entidad. Y entre los que viven fuera, con Jorge Ruiz Dueñas, José Javier Villarreal y Luis Cortés Bargalló. No se parecen entre sí, pero a todos ellos los une la voluntad de escriturar sus experiencias, de hacer suyo el mundo –o los mundos– en que viven. No se arredran. No piden permiso.

En su conjunto, los poetas bajacalifornianos son obsesivos en sus búsquedas. Ya sea la urbe o la naturaleza, la vida fronteriza o el juego verbal, su poesía se esfuerza por profundizar en los territorios que ven y sienten como propios. De esas búsquedas salen obras significativas y poemas memorables que se asientan, como arenas movedizas, como visiones periféricas, en el templo monolítico de la literatura nacional. No para desafiarla sino sólo para recordarle a los demás poetas que si Baja California es otro México, como dijera Francisco Xavier Clavijero y más tarde lo repitiera Fernando Jordán, también hay aquí otra poesía, o al menos otra forma de concebirla, de hacerla, de vivirla. Una manera de asumir el canto desde lo provisorio, lo tangencial, lo precario.

¿Qué tendencias predominan hoy en día en la poesía bajacaliforniana contemporánea? ¿Hay estudios sobre tu obra y si no hay qué impacto tiene la falta de un aparato crítico alrededor de la práctica poética de un poeta como tú?

Como dije antes, la poesía bajacaliforniana está llena de aficionados entusiastas y de unas dos docenas de poetas en toda la extensión de la palabra. El problema de la poesía, en este tiempo de redes sociales, es que vale más una conducta escandalosa que una escritura, vale más una plataforma mediática que un trabajo riguroso. Ya Ingeborg Bachmann, la poeta alemana del siglo pasado, decía que "en ninguna parte surge el diletantismo tan ostentosamente de debajo de las piedras como en la lírica, y en ninguna parte es más difícil fijar para la mayoría de los lectores si este o aquel autor vale algo o no."

El problema mayor de la poesía bajacaliforniana, sin embargo, no está en sus autores, sino en la ausencia de una crítica real, constante, sincera y honesta. Hablo de una crítica periodística lo mismo que académica. Por cada poemario publicado en la entidad, ¿cuántas reseñas se hacen? Ninguna, según yo. Sólo hay notas informativas o crónicas de sociales sobre la presentación del libro. Y eso si hay suerte o se es amigo de los escasos periodistas culturales que aún existen. La atención crítica a mi obra viene de fuera. La hacen escritores del centro del país o del extranjero. Las más recientes reseñas se publicaron en la ciudad de México y en Francia. Y no soy la excepción a tal estado de cosas. Aquí, en Baja California, soy como muchos otros escritores: un poeta cuyos lectores me abordan en la calle o me saludan como un viejo conocido en los pasillos de una tienda.

Las peculiaridades de la poesía de la entidad –clima inhóspito, urbes con distinta personalidad, el espacio

fronterizo, la escasez de publicaciones-, ¿cómo influyen en la escritura poética?
Lo peculiar de mi entorno incide, desde luego, en la forma en que escribo. Soy un poeta visual, perceptivo, que utilizo igualmente los elementos de la cultura, la ciencia y la historia para exponer lo que pienso de la realidad, lo que siento del mundo. Vivir en la frontera, en una región inhóspita, te ofrece la posibilidad de crearlo todo desde cero, de levantar tu tienda de palabras y sentidos en medio de la nada. Me encantan los espacios sin límites, el paisaje desierto, la vida en fuga, los contrastes entre culturas. Residir en una ciudad de paso me permite contemplar este tráfico humano que no cesa, experimentar el peregrinaje multitudinario de distintas comunidades. Y no hablo de migraciones de sur a norte sino de viajes que cruzan la frontera entre pasado y futuro, lo tradicional y lo moderno, lo culto y lo popular. Mi escritura, por lo mismo, está siempre en movimiento, está siempre en camino hacia otros lugares de la imaginación, hacia otros horizontes del pensamiento.

Ya no vivimos en la era de la divinización del poeta, de la sacralización de la poesía. Ahora se escribe desde la cotidianidad de cada quien, desde la realidad de cada uno. La poesía radica hoy en un discurso más directo y personal, en la plaza pública, en las redes sociales, en la democracia de las palabras. ¿Cómo la vives tú? ¿Cómo la difundes al mundo?
La poeta Ingeborg Bachmann dijo, hace ya sesenta años, que "nuestra existencia se halla en la encrucijada de múltiples realidades inconexas investidas de los valores más

contradictorios." Para Bachmann eso era un escándalo mayúsculo. Para nosotros es la normalidad, el horizonte cultural de nuestros días. Tenemos que exponer nuestras verdades en un mundo sin certezas absolutas, porque como Ingeborg lo dijera: "Hoy ya no se puede hablar de un canto sagrado, de una misión, de una comunidad de artistas elegidos. Estos puros cielos del arte no se han podido mantener." Y no se han mantenido porque el absoluto, incluso en la sociedad globalizada de nuestros días, sigue creando fanatismos violentos, sigue provocando intolerancias, exclusiones y masacres, mientras lo múltiple, lo inconexo, lo paradójico y lo contradictorio han estimulado al arte y a la vida en todos los sentidos, han servido para hacer de la poesía no una fortaleza inexpugnable sino una plaza pública. Nos puede disgustar o enfadar esa situación, pero de ella nace la democracia cultural de nuestro tiempo. Por ella existe la diversidad artística de la que formamos parte los poetas de nuestra entidad. Yo pienso lo contrario de muchos artistas de hoy: no vivimos el fracaso de la democracia sino sus titubeos, su incapacidad de democratizarlo todo, de abrir las esclusas de lo impensable. Nuestra democracia política, social o cultural es sólo un producto a explotar, una mercancía para los que dicen ser sus representantes.

Y yo, en cambio, creo que la poesía es como la democracia en su vertiente más abierta, más compartida: un diálogo con el mundo y con nuestros semejantes, una conversación de vida en vida, de cultura en cultura, de sensibilidad en sensibilidad. Hecha con la conciencia de que todo importa, de que todos tenemos derecho a contemplar la realidad con todas sus aristas y mezclanzas. No una mercancía sino una plazoleta de palabras, de juicios, de visiones. Porque eso es fundamentalmente la poesía: lo que nadie ve porque no da beneficios, porque no da prestigio en una sociedad donde los prestigios son los de las celebridades, las de la fama volátil.

¿Para qué difundirla entonces? Para recordarnos que no hay una sola verdad y que la precaria verdad de la poesía, tan individualista como pocas, tan recalcitrante, tan metida en sí misma, es un voto por la libertad del individuo, por la posibilidad de soñar desde el cosmos que somos. Whitman tenía razón: el poeta habla con la voz de su tiempo y de su comunidad, aunque sólo crea estar hablando para sí, aunque no tenga más interlocutores que la soledad que lo rodea, que los muros que lo aprisionan. Por eso creo que el poeta debe buscar difundir su obra más allá del círculo de especialistas, que debe extender su voz en cualquier medio que esté a su disposición. Eliot lo hizo con la radio, Paz con la televisión. Y hoy miles de poetas lo hacen por medio de las redes sociales. Ponen sus versos a disposición de todo aquel que esté dispuesto a leerlos, a escucharlos, a atender lo que tienen que decir de una sociedad global donde los problemas, por más locales que parezcan, inciden en toda la humanidad.

Ahora bien, a título personal, confieso que me esmero en mi escritura y en buscarle a mis obras una editorial que las difunda, pero una vez que ya son libros publicados me desentiendo de ellos, los dejo vivir en sus lectores, los pocos o los muchos que se acercan a mi poesía y la hacen suya. En las redes, en internet, hay ciertos sitios que han puesto poemas míos en sus portales porque les gustan, porque les dicen algo. Se los agradezco, pero esto no me ha llevado a crear un portal para mi obra poética, una plataforma digital para que se puedan leer más allá de su publicación impresa. Gran parte de mi obra ha sido publicada por editoriales culturales o universitarias (UABC, ICBC, ISC, IMC, UNAM, UAM, Universidad de Salta-Argentina, SDSU), lo cual me ha dado una gran libertad creativa pero no un público masivo. No me quejo. La poesía, en México y en el mundo, es todo menos masiva. A lo más es un saber especializado, un género menor frente a las grandes ventas de la novela o el periodismo coyuntural. Y qué bueno que así sea. Por eso vivo la poesía como un acto privado que, de vez en cuando, se vuelve público, habla con los demás, discute el mundo en su tertulia en verso.

Pocas veces leo mis poemas en público. Pocas veces digo que soy poeta. No soy propenso a la condición social del escritor. No juego el juego de tronos de los prestigios artísticos. No porto la máscara sublime de los poetas cultos. Escribo de espaldas a todo ello, convencido de que la palabra vale por sí sola, de que la poesía no es una jerarquía, una pirámide, un círculo secreto, sino una condición de vida, una respiración, un consuelo. El acto que revela lo que somos por el peso de las palabras que ponemos en el papel o en la pantalla de nuestras computadoras. Un acto que es privado y público a la vez, que habla sin afectaciones con los demás, que vale por la vida que exponemos al escribirlo.

En una sociedad como la nuestra, tan pragmática, tan consumista, plena de modas efímeras, ¿aún hay espacio para la poesía o ésta sigue siendo una actividad minoritaria, un culto académico, una secta protegida

institucionalmente, pero sin repercusiones en la sociedad en general? ¿Con qué clase de interlocutores cuenta
tu poesía? ¿A quién se dirige aparte de ti mismo o del círculo que la frecuenta y practica como creación literaria?
Vivo en una sociedad que poca atención le presta al trabajo intelectual o artístico. Escribo a contracorriente de
los gustos y las modas imperantes, del círculo de la literatura con pedigrí. A pesar de esta voluntad de aislamiento
resido en el mundo, en este siglo XXI, y trato de que mi
poesía dialogue con la sociedad a la que pertenezco y con
la tradición literaria en la que me ubico, con el país que
soy y que me duele.

Escribo poesía sabiendo que ella es una necesidad, un
anhelo de saber, un impulso vital. Algo que me sostiene
contra viento y marea. Algo que me ayuda a seguir siendo humano en una realidad tan cruda, tan cruel como la
nuestra. El poema es una tabla de salvación en el naufragio de nuestro tiempo, un recordatorio de todo lo que he
ganado y de todo lo que he perdido en el transcurso de
mi vida. Habla por mí cuando estoy en silencio. Canta
por todos cuando nadie me escucha. En esa encrucijada
mis versos resisten el ramalazo del tiempo que me ha tocado vivir. En esa contradicción mi obra reside y pervive: periférica, limítrofe, ambigua. Como cuando cruzas
el desierto, mis poemas son a veces agua brillando en el
horizonte lejano y otras veces son sólo luz que juega con
la mirada. Nada más ni nada menos. En todo caso, lo
que dicen, si es que dicen algo, es cosa del lector, asunto
aparte. Vida que ya no me pertenece.

JOSÉ JAVIER VILLARREAL

¿Qué te llevó a la escritura poética? ¿Qué te hizo poeta?
De tus primeros versos a los actuales, ¿qué ha cambiado en tu forma de escribirlos? Hoy en día ¿cuál es tu relación con el lenguaje poético, con lo que quieres decir
a través de tu poesía?
Me imagino que el estar solo, el mucho jugar y el más
imaginar. No sé si algo en especial me hizo o me descu-
brió poeta; puedo decir que ante mi temprana torpeza
y pereza lectora mi abuela reaccionó estableciendo una
práctica de lecturas a la que me sometía todas las tardes.
Me leía y leía y yo escuchaba e imaginaba lo narrado; después, en la soledad abundosa del rancho de mis abuelos
o en el misterioso patio trasero de la casa de mis padres,
vivía (presentifica) lo escuchado. Supongo que no es lo
mismo hacer fila para pagar la luz o el agua a los veinte años que a los cuarenta o cincuenta. A los veinte ce-
nas chorizo con huevo, a los treinta puedes disfrutarlo en
la merienda, a los cuarenta es todo un plato para iniciar
el día y a los cincuenta se vuelve todo un acontecimiento, una rica eventualidad, que cobra sus consecuencias
inexorables. Mi relación con el decir poético es una dimensión de encantamiento, de conducirte o detenerte en
el mundo. El decir se goza en la epifanía, todo es parte de
un todo que se expresa y es en la experiencia del nombrar
y padecer aquello que debe ser en la eternidad de su fuga-
cidad. Ahora bien. Nunca sé a ciencia cierta lo que quiero decir; el decir se me impone y en algunos casos privi-
legiados me asombra. No tengo ningún dominio sobre

el decir poético. Éste se impone y bajo tal realidad puedes trabajar el poema, recortarlo, agregarle, darle la forma que el decir poético exige.

Escribes poesía, ¿para qué? ¿Para quién? ¿Desde qué perspectiva lo haces: canónica o marginal, central o periférica, tradicional o contemporánea? En todo caso, ¿qué clase de poeta eres según tu propio criterio? ¿Cómo defines tu obra poética en el contexto de la poesía bajacaliforniana, mexicana, actual?
Me asumo rilkeano. Escribo poesía porque no tengo opción. Es cosa de tiempo. Hay, obviamente, un gusto al escribirla, pero –secretamente, autónomamente- una necesidad que obedece a la dimensión de lo incontrolable, no tengo ningún dominio en esto. Pienso en los arrebatos y me sonrojo; sin embargo, llegado el momento, el dique se rebasa y el poema se impone. El destinatario, estrictamente, es el autor que se convierte en lector. Podemos pensar en alguien, quizá hasta debamos de hacerlo, no sé. El poema pertenece a lo ingobernable, su lógica es misteriosa, sus consecuencias muchas y diversas. Escribo para que me lea la legión que me constituye, porque ese posible alguien no deja de ser una prolongación del poema, una ficción que irrumpe en nuestra particular y acotada realidad. Nunca he pensado desde qué perspectiva escribo. Tengo una nómina en crecimiento constante que constituye mi canon. Si no tienes un centro no puedes aspirar a una zona marginal o bien periférica que la circunscriba. Se me antoja que el centro se nos puede volver el área del canon, de lo nuclear. Leo a Hesíodo, pero estoy condenado a mi tiempo; pero si realmente leo a Hesíodo,

éste pertenece a mi tiempo de lectura y se me vuelve un contemporáneo con quien establezco un diálogo o por lo menos un dictado, el que él ejerce sobre mí. Soy un poeta que da clases, que tiene un programa de radio, que tiene tres hijos, una esposa, que le gusta traducir, que escribe ensayo, que gusta de la buena mesa y del buen vino y de la cerveza oscura, que ve películas y escucha música. Le cambia el agua a sus perras, a veces sale a caminar. Soy un poeta harto burgués. Mi poesía está publicada y puede ser juzgada con respecto al contexto regional o nacional. No poseo la seriedad ni la madurez adecuada para argumentar en torno a una posible definición de mi poesía en el contexto de la poesía bajacaliforniana, mexicana, actual. Me abstengo de tal audacia.

Frente a otros géneros literarios, como la narrativa o el ensayo, la poesía en Baja California ¿qué da a sus lectores?, ¿qué aporta a la fiesta de la palabra?, ¿qué temas domina?, ¿qué lenguajes alienta?
Te soy cristalino como los arroyos de arena de mi infancia montañesa en Baja California. El momento decisivo de mi relación con la poesía, la narrativa, el ensayo y la traducción bajacalifornianos tiene diferentes momentos con diferentes protagonistas. Si me remonto a un tiempo primigenio y mítico te hablaré del afecto y apoyo de Rubén Vizcaíno, de Francisco Morales descubriéndome ese gran libro que para mí ha sido *Relación de los hechos*, de José Carlos Becerra. De Rosina, de su amistad y generosidad. Del hecho de publicar mi primer libro en un volumen colectivo donde se incluía uno tuyo y del nacimiento de nuestra larga amistad. De conocer y publicar

con los escritores que hacían *El último vuelo* (Edgardo, Roberto, Gustavo y Robert), de consolidar una dadora relación con Federico Campbell y Daniel Sada, de gozar de la aventura de *Esquina baja*, de Leobardo Sarabia. De conocer y leer a Víctor y Alfonso, después a Luis. De mi entrañable relación con Eduardo por Monterrey, Zacatecas, Mexicali y Tijuana. De Sergio Rommel y sus críticas y entrevistas, del suplemento *Solar*, que dirige José Manuel. De Luis Humberto y Jorge y otros escritores con los cuales he establecido complicidades que ni se imaginan. De la música y de la pintura. De la comida china como un paisaje cultural innegable, de la ya mítica librería El Día del centro, y de mi inmensa sorpresa de encontrarme a Juan Soriano y Sergio Pitol en la avenida Hidalgo, frente a la casa de mis padres. Esta es la riqueza fundamental que la expresión bajacaliforniana me ha ofrecido. Sería injusto si no trajera aquí a colación el hecho de haber participado en la Feria del Libro de Tecate cuando mi señor padre tenía influencias en el Ayuntamiento. Al faltar él dejé de ser invitado. He ahí un paraíso que me niego a perder.

En términos de libertad expresiva, de experimentación verbal, de rigor imaginativo, ¿cómo ves la situación de la poesía bajacaliforniana del siglo XXI? ¿Qué le falta y qué le sobra? ¿Cómo te ubicas en ella?
Es muy probable que lo que siga sea, a todas luces, políticamente incorrecto, pero uno es así, ¿qué se le va a hacer? Como lector, que es lo que soy la mayor parte del día, no logro dividir a la literatura mexicana por regiones. Obviamente que el contexto cultural, espacial, influyen en la

expresión artística, pero no creo que la condicionen a tal grado de que podamos hablar de una literatura de la costa, de la montaña, del valle y del desierto; y esto sólo en el caso de Baja California. Creo que hay una tradición en lengua española que nos inunda y empapa. Prácticamente leemos a los mismos autores, nuestros referentes culturales son casi los mismos; sin embargo, alguien dirá: "casi", pero no los mismos. Y tendrá absoluta razón. En ese sentido sería muy justo hablar de la literatura lezamiana, de la literatura piñeiriana, baqueiriana, cabrerainfantiana, padilliana, carpenteiriana y veríamos como el concepto totalizador de la literatura cubana iría —cabalmente y con justicia— desapareciendo. Y estaría bien, ya que nadie —en Cuba— posee y ostenta el universo todo que le debemos a José Lezama Lima. Ahora hablemos de la poesía andaluza frente a la poesía castellana de la península ibérica. Pensemos en dos grandes poetas: Federico García Lorca y Luis Cernuda. Primero ¿Qué tienen qué ver estas dos expresiones literarias entre sí? Segundo ¿Cuál es auténticamente andaluz y cuál no? ¿Y qué entenderíamos por lo auténticamente andaluz? ¿Qué sería de la poesía andaluza —no se diga de la lengua española— sin uno de estos dos autores? ¿Federico Campbell es un escritor bajacaliforniano porque presentifica un mundo léxico, ficcional y geográfico que identificamos con una realidad no literaria que llamamos Baja California? ¿El valor del escritor radica en su pericia de retratar una realidad ajena a lo literario por medio de lo literario? Que complejo. ¿Y entonces qué hacemos con Leonardo Sciascia y la novela negra norteamericana y el teatro de Harold Pinter? ¿También son accidentes de lo bajacaliforniano? Hay una anécdota genial de Tomás Segovia. Le rinden un homenaje en Valencia, España. El alcalde termina su discurso destacando que Valencia es la cuna del poeta homenajeado y –emocionado- le cede el micrófono al hijo pródigo; éste comienza su discurso de agradecimiento diciendo que efectivamente nació en Valencia, pero que no lo volverá a hacer. ¿Cuál es la patria del escritor? ¿La *Transpeninsular* de Federico Campbell es posible recorrerla fuera de su novela? Si Joyce es irlandés porque habla de Dublín, Joseph Conrad es africano porque habla del Congo. Realmente son disquisiciones que no me son muy cercanas, al contrario, me son sumamente ajenas. Nunca leí a Carlos Montemayor porque fuera chihuahuense; sin embargo, *Guerra en el paraíso* la sigo recordando como una gran novela de Carlos Montemayor. Ahora estoy leyendo a Antón Chéjov, *El jardín de los cerezos*, y tengo una gran nostalgia por la casa de mis abuelos. Tal vez esto me haga escribir un poema donde descubra un rostro o una parcela de eso –tan misterioso y complejo, parafraseando a Borges- que llamamos Baja California.

Escribir como nativo o residente del norte del país, de la frontera incluso, ¿en qué sentido condiciona tu escritura?, ¿de qué forma reaccionas a esta realidad: evadiéndola, confrontándola, asumiéndola como propia?
Ser fronterizo, y luego ser norteño son situaciones tanto accidentales como conscientes. Hubo una arcadia, en un tiempo primigenio, en el que la frontera internacional me impactaba menos que el hecho de ser norteño. El club donde nos reuníamos los niños de la primaria era un *camper* abandonado entre Tecate, Baja California, y

Tecate (Tecatito), California. La cerca que dividía a los dos países estaba tirada y los guardias fronterizos nos saludaban desde la aduana estadounidense. En cambio, ser norteño era no formar parte del "interior". Ver por la televisión cómo se anunciaban los autobuses "Tres estrellas de oro" y "Norte de Sonora" y emprendían su marcha a un mundo distante y misterioso como Guadalajara ("La perla de Occidente") o la mismísima Ciudad de México ("La capital"). Las radionovelas de *Porfirio Cadena, el ojo de vidrio*, y de *Chucho el roto* que nos construían un imaginario de lo que era la "Suave patria" más allá de Mexicali y San Luis Río Colorado. Por las noches: Pedro Vargas, *Noches tapatías* y la mueblería los "Hermanos Vázquez" con el *Concierto de Aranjuez* como música de fondo y León Michel. La zona libre que terminaba en Sonoyta, esa frontera nacional que hacía las veces de umbral donde el viajero, al traspasarlo, perdía toda esperanza, y las cosas que llevaba, como en el poema de Dante. La incuestionable certeza de que los productos nacionales, frente a los norteamericanos, eran caros y de malísima calidad. La cercanía de Disneyland. Tijuana como la ciudad más visitada del mundo ("Ventana de México"), *Gentleman* en grande, y Caballeros, abajo y en tipos más pequeños. El paraíso tiene muchos escondrijos y el infierno el doble; el purgatorio corre de la mano y el limbo tiende a desaparecer; y toda esta cosmogonía está ahí asechando aun cuando escribes un poema en Concepción o Santiago de Chile. Milton hizo decir a Lucifer que el infierno estaba donde él estuviera. ¡Qué razón tenía!

¿Qué diferencias hay entre escribir poesía en Baja California o fuera de Baja California? ¿Las distancias ayudan a comprender mejor tus propios orígenes, a entender mejor los lazos afectivos, sensibles, conceptuales que te unen a la matria peninsular?

De nuevo me voy de frente, pierdo el paso y caigo en la dimensión de lo incómodo, de aquello de dar explicaciones no pedidas. He escrito muy, pero muy pocos poemas en Baja California. Quizá más ensayo; traducción nada. Sin embargo, Baja California es para mí un territorio emocional, un paraíso extrañamente dador. Por una parte, hay una geografía que sólo puedo transitar en la memoria, en la ficción, en la conciencia de la inconciencia. Por otra, es un espacio que es y no es, que recorro y sueño, que habito y pienso. Veo algo, pero luego, al tiempo, lo contemplo. Es una dimensión visible que se me vuelve invisible como Rilke sostenía con respecto al quehacer poético. Gusto de visitar una geografía que va desde Sunset Blvd., hasta San Quintín; de Ensenada hasta San Luis Río Colorado. Pero El Paso, McAllen y Laredo espejean y destellan vislumbres que me sobrecogen. Estoy en Chihuahua, en Cd. Juárez, en Obregón o Culiacán y el acento, el ritmo del habla, me marea y sumerge en un espacio de afecto. Diez años después de salir de Baja California escribí *Mar del norte* (hay una sección en el libro que se titula "Poemas bajacalifornianos"), en *Bíblica* hay un poema donde aparece la ausencia-presencia de la Diana cazadora que un día desapareció de una placita de Tecate y jamás fue restituida. Sigue ahí la base de la fuente, pero Ártemis no ha vuelto. En *Portuaria*, al final del libro, irrumpen los rusos y los manantiales del

José Javier Villarreal

rancho La Providencia. En *La Santa* Tecate se me con-
funde con Higueras, y no sólo eso: La Rumorosa pertenece a la sierra de Picachos, y otra sierra, del mismo nombre, pero de muy diferente fisonomía, limita y embelle-
ce la geografía higuerense. Mi último libro de poemas se
titula *Campo Alaska*. Podría dar la impresión que, pese a
no escribir poemas en Baja California, Baja California sí
me ha escrito a mí.

**De tus libros publicados, ¿cuál es el que consideras sea
el más fiel a tu experiencia vital, a tus búsquedas creativas y por qué?**
En este preciso momento –junto con, paralelamente a
esta entrevista–, estoy trabajando en una antología personal que no será una antología personal sino otro libro
más. Coartadas que van desde la representatividad o el
orden cronológico se me diluyen. He publicado ocho libros, seis de poemas y dos que se aventuran bajo la onda
del poema libro (*La procesión* y *Fábula*), he llegado a fan-
tasear que los autores que he traducido son heterónimos
míos, pero ellos, por fortuna, no lo saben. Cuando escribo ensayo me involucro y entusiasmo, salgo y entro, leo
y veo, escucho y me asombro, y como y bebo sobre el es-
critorio, junto a los vivos materiales con los que trabajo
y terminan por revelárseme. No es una gran bibliografía,
pero es la única que tengo, y si la carne no se ha quema-
do ha sido porque la suerte ha sido mucha.

**¿Cómo ves a la poesía que se hace en la frontera norte,
en Baja California específicamente? ¿Qué poetas de la**

entidad han aportado obras significativas y cuáles han sido sus aportaciones fundamentales a la lírica nacional? Me inclino a pensar, como primera impresión, que estas preguntas son sumamente pretenciosas, o bien, que pecan de optimismo. Desde Monterrey, si no tienes una decidida vocación o voluntad de investigación sobre la poesía que se escribe en el norte del país o en Baja California, específicamente, la nebulosa de lo inmediato, del día a día, te empaña toda noticia que no incida en los canales "nacionales". Me da por pensar que hay poetas que radican en diferentes ciudades del país –incluyendo la recién inaugurada Ciudad de México- que nos ofrecen una obra que podemos disfrutar, e incluso, llegar a admirar. Pero me resisto a la tentación de agruparlos por entidades que obedecen, la mayoría de las veces, a divisiones políticas más que culturales, propiamente dichas. Quizá estas apetencias parcelarias emanen de una nostalgia por los movimientos y escuelas vanguardistas de principios del siglo pasado que agrupaban a sus autores bajo manifiestos y/o principios políticos, sociales y estéticos. También me resisto a la idea de que haya poetas que representen a una entidad federativa, incluso me resisto a una poesía "típicamente" bajacaliforniana o neolonesa. La lírica nacional es otro asunto que como marbete cada vez me interesa menos. Sigo pensando que el lugar de nacimiento es un accidente que se funde a una compleja e impredecible historia sentimental y cultural que lo aglutina y rebasa. Leo y releo esa joya que es la *Visión de Anáhuac (1519)*, que Alfonso Reyes escribió en Madrid a los 26 años, y el Cerro de La Silla no tiene cabida en el valle de Anáhuac que nos legó "el regiomontano universal". Juan José Saer lanzó una ingeniosa broma diciendo aquello de que quizá el gran escritor de la literatura argentina del siglo XX era Witold Gombrowicz; siguiendo la línea: qué tal si la gran obra de la literatura árabe es el *Quijote*, de Cide Hamete Benengeli. Me declaro del todo incompetente -ya que no poseo el conocimiento ni la perspectiva- para poder hablar de las aportaciones fundamentales de la poesía bajacaliforniana a la lírica nacional.

¿Qué tendencias predominan hoy en día en la poesía bajacaliforniana contemporánea? ¿Hay estudios sobre tu obra y si no hay qué impacto tiene la falta de un aparato crítico alrededor de la práctica poética de un poeta como tú?

Sigo en el lado políticamente incorrecto. He leído varias obras que se han escrito en Baja California y que por diversos motivos han conformado un marco teórico –como diría Zaid– en mí como lector y autor. Otras me han llevado a otras obras que no se pensaron ni escribieron en Baja California, pero que para mí se han vuelto importantes, incluso, referenciales. Ensayar un enlistado de las posibles tendencias que acusa la expresión poética que se manifiesta en Baja California sería todo un ejercicio crítico que me llevaría a la conclusión del hilo negro o al descubrimiento del Mediterráneo. Me explico. Para hablar de una poesía bajacaliforniana, más allá del accidente geográfico y del hecho innegable de la presencia cultural y referencial de California y Sinaloa, entre otras, tendríamos que partir de una determinada y particular tradición literaria que sólo le compitiera y perteneciera a la expresión poética que se gestara sólo e, inexplicablemente, en las fronteras políticas del estado. Al norte de Mexicali ya no, y Guerrero Negro, no cuenta. Una literatura aislada que –paradójicamente- comparte una lengua y una cultura que exporta e importa, pero que acusa, misteriosamente, características "tales" que la distinguen categóricamente del resto de la expresión literaria que la rodea. Es obvio que habrá muchísima gente que me demostrará mi error, mi falta de pericia y sensibilidad críticas, y, tal vez, tengan razón. Pero los regionalismos y nacionalismos me siguen pareciendo peligrosos y, hasta cierto punto –paradójicamente- contrarios a la propia expresión artística. Stravinski es tan profundamente ruso que cuando lo escucho en Higueras, Nuevo León, lo encuentro profundamente bajacaliforniano a pesar de su estancia tan medular e importante en París. Por otra parte, y respondiendo a la pregunta, sí hay algunos estudios sobre lo que he escrito.

Las peculiaridades de la poesía de la entidad –clima inhóspito, urbes con distinta personalidad, el espacio fronterizo, la escasez de publicaciones-, ¿cómo influyen en la escritura poética?
Enormemente, pero insisto. Estas peculiaridades de las que hablas ¿están en la realidad (esa cosa tan compleja, como diría Borges) o en la literatura? Porque si están sólo en el horizonte extra literario, en menor o mayor medida, son aplicables a varias latitudes y altitudes de lo que hoy denominamos República Mexicana. Y no siempre se encuentran todas en el norte, también en el sur. *Madame Bovary* se escribió en provincia, no en la capital. Es obvio que todo influye en la escritura poética: el clima, el paisaje, el libro que estás leyendo, el cuadro que viste, la

película, la música, el desayuno, la pareja, tus problemas
o bondades laborales, si te publican o no, los problemas
o paraísos con tus hijos, si los tienes, si no los tienes, tus
inclinaciones sexuales, etcétera. También esto nos cobija.
No es lo mismo escribir en una cabaña, en La Rumorosa,
o en un hotel en Cáceres, Mato Grosso, Brasil, pero vale
la pena intentarlo si la ocasión se presenta. No todos vemos la misma película a pesar de estar sentados en la misma sala; ahora imagínate la escritura poética. Pero com-
pliquemos un poco más las cosas. ¿Estas peculiaridades –
clima inhóspito, urbes con distinta personalidad, el espacio fronterizo, la escasez de publicaciones– significarán lo
mismo para todos los habitantes de la península de Baja
California? ¿Existirá en realidad una sola Baja California
para todos aquellos que la habitan? Me parece que la respuesta es tremendamente obvia. Quizá ahí radique la razón de mis respuestas políticamente incorrectas.

**Ya no vivimos en la era de la divinización del poeta, de la
sacralización de la poesía. Ahora se escribe desde la cotidianidad de cada quien, desde la realidad de cada uno.
La poesía radica hoy en un discurso más directo y personal, en la plaza pública, en las redes sociales, en la democracia de las palabras. ¿Cómo la vives tú? ¿Cómo la
difundes al mundo?**
Creo que esa era mítica nunca existió como tal. Los poetas, salvo raras excepciones, siempre han ocupado un papel discreto con respecto a los valores y apetencias que ri-
gen al continente social. También creo que la mayor parte
de la obra poética -a través del tiempo- versa sobre lo individual y cotidiano (incluyo en esto a los poemas épicos,

al *Libro de los muertos*, a la Biblia y a los cantares de gesta). La poesía —parafraseando a Dylan Thomas- siempre es la forma extraña de decir las cosas, y estas cosas siempre le competen al yo poético —parafraseando a Gottfried Benn. La plaza pública, el ágora (el lugar de las arengas), es un espacio que nos acompaña, por lo menos desde el mundo clásico, y las redes sociales son un recurso casi tan revolucionario y propiciador como la imprenta lo fue en el siglo XV. Antes de comenzar a escribir comencé a leer. He escrito libros de poemas y también de ensayos, he atrevido la traducción y la docencia, también tengo años de producir un programa semanal de radio sobre poesía. Hace muchos años fui editor y ahora funjo como tal en la Facultad de Filosofía y Letras de la Universidad Autónoma de Nuevo León. Me gusta comprar libros y, sobre todo, leerlos. Sin embargo, nunca me ha preocupado su difusión mundial, no me siento activista de un movimiento de carácter internacional cuyo fin sea la difusión de la poesía, incluso soy un tanto reacio a esas redes masivas, a esas agrupaciones, que van por el mundo sensibilizando a los prójimos con la palabra poética y escribiendo poemas por la paz mundial y la ecología. Mi círculo de acción, si así se pudiera llamar, es muy reducido, muy personal.

En una sociedad como la nuestra, tan pragmática, tan consumista, plena de modas efímeras, ¿aún hay espacio para la poesía o ésta sigue siendo una actividad minoritaria, un culto académico, una secta protegida institucionalmente, pero sin repercusiones en la sociedad en general? ¿Con qué clase de interlocutores cuenta tu poesía? ¿A quién se dirige aparte de ti mismo o del círculo que la frecuenta y practica como creación literaria? Me parece muy buena tanda de preguntas para concluir. Te decía que mi círculo de acción es muy reducido, muy personal, pero así está muy bien, no aspiro ni creo poder con más. Soy lector y ejerzo, soy profesor y dicto cátedra, soy locutor y estoy al aire, estoy casado con una poeta, tengo una hija actriz, otro hace cortos y el tercero de mis hijos –el mayor– investiga a las garrapatas que martirizan a las vacas en el sur de Brasil. Tengo un doctorado académico. Cuando me confirieron el Premio de Poesía Aguascalientes, el INBA puso una parte y el gobierno de Aguascalientes la otra. Actualmente soy miembro del Sistema Nacional de Creadores, trabajo para una universidad pública y mis libros tienen un ritmo de divulgación que no le causa vértigo a nadie. Soy consciente que no soy una figura pública, que no represento un ideal en el inconsciente colectivo, que mis poemas, ensayos y traducciones, no son bienes de punta en mercado alguno y que cuando tomo un café en la calle me lo puedo terminar sin ninguna incomodidad. Esto es una dicha, Joseph Brodsky hablaba de la difícil libertad del poeta y Pound, en un memorable y breve poema, decía que él escribía para tres o cuatro personas y terminaba exclamando: ¡Oh, mundo. Tú no conoces a esas tres o cuatro personas! Esto va más allá de estas cuestiones; se trata de un destino como lo entendía Rilke, y el lector es un accidente que escapa a mi dominio. Como ves me muevo en un círculo muy pequeñito y ejerzo una actividad muy minoritaria, pero sumamente apasionante.

Elizabeth Cazessús

¿Qué te llevó a la escritura poética?
Este tipo de preguntas me parecen extrañas. No sé si hay un motivo que me llevó a la escritura poética. Yo escribía poesía de niña y no sabía lo que era la poesía. Quizá me parecía que todo tenía una respuesta poética ante mis inquietudes para entender el mundo y a los demás. La poesía para mí era un acto inconsciente.

¿Qué te hizo poeta?
Me hice poeta desde el momento que hice un acto de conciencia acerca de la escritura y mi relación con ella, hasta que antepuse mi necesidad de escribir viviendo en conflicto con la poesía por ese desconocimiento del acto poético como oficio. Cuando recibí los primeros premios sentí que esa relación con la escritura se fortalecía. Pero tampoco escribí con la intensión de ganar premios ni de hacer publicaciones. Las publicaciones de mi obra, así como algunos envíos a concurso lo hice por invitaciones de amigos y maestros en talleres de poesía que vieron en mi trabajo una posible promesa.

De tus primeros versos a los actuales, ¿qué ha cambiado en tu forma de escribirlos?
Yo creo que cada uno de mis libros es distinto. Aunque los del principio contienen más el aspecto ritual de la lírica mexicana, mi relación con el arte en general y la interdisciplina. Conocí la tradición desde la geometría sagrada y de las diferentes experiencias con comunidades indígenas

que anduve explorando como "antropóloga de la poesía en su origen ritual", yendo a las fuentes y a los territorios propios de ritos ancestrales. En ese tiempo, mis lecturas se transformaron en viajes hacia las comunidades indígenas del norte y centro de México. Y fue como descubrir el fuego, el agua, la tierra y el aire con todo su simbolismo en la tradición mexicana. Los caminos que recorrí en busca de culturas como: waxarrica, kumiai, pai pai, cucapá, seri, náhuatl, navajo, lakota... De principio me ocupe de reconocer la poesía como un acto de invocación en el espacio abierto, como una experiencia viva, como rito y conjuro. Sin embargo, en este tiempo no publiqué libros, los viví, hice montajes en escenarios cerrados y abiertos, los conjugué con la música y la danza en el ágora pública. Llegar a publicarlos fue otro proceso. *Razones de la dama infiel* creo que es distinto a los demás porque no es un libro que hable del erotismo como *Casa del sueño*, donde el yo emocional recorre las aguas del sueño, como una psiconauta de la vida. Las *Razones de la dama infiel* gustó hasta por el título, y este tuvo un lector de género masculino. Los hombres quieren saber por qué sus mujeres les son infieles; conocer las sinrazones del corazón. Igualmente, subjetivo, es el que más ha causado polémica, desacuerdo, o sorpresa y reconocimiento de cierta valentía por escribirlo, y hasta morbo por leerlo. Transgrede las buenas conciencias tanto de varones como de mujeres, maestras psicólogos y abogados, y ha sido interesante, es el único libro que conozco que tiene un decálogo para los y las infieles, en una relación de adulterio: "Los mandamientos de la Dama Infiel ". Una herejía abierta y picara, divertida, con uso de aforismos y sentencias. Este lo presente con una video poética que realice en coordinación con Gerardo Navarro. Fue una experiencia novedosa y una propuesta poética que sigue dejando comentarios por el impacto que tuvo. Con el libro de *No es mentira este paraíso* realicé una segunda videopoética que me gustó y disfruté mucho. El tema de *Enediana* es una paráfrasis de Anadiomene, una postura tántrica de la diosa Afrodita. Vuelvo al mito haciendo mi propio mito. El arquetipo de la diosa es un tema que siempre me ha obsesionado en un rescate consciente de la naturaleza femenina desde la cultura del matriarcado. Estas dos videopoéticas se han promovido solas en YouTube. El trabajo con la multimedia conjuga otro nivel en la poesía, con la videopoética me siento integrada al mundo visual y a la música de una manera que la poesía pasa a ser una obra de arte con nuevos espacios que nos ofrece la nueva era tecnológica, y esto tienes que promoverla en espacios donde se puedan usar las pantallas, en salones de multimedia, que no son los espacios de los escritores. Esto tiene sus límites, no a todos los lugares donde vas tienen los recursos técnicos que se requieren para presentarlo en su forma.

Hoy en día, ¿cuál es tu relación con el lenguaje poético, con lo que quieres decir a través de tu poesía?
Mi relación con el lenguaje y la lectura ha sido muy desordenada. He leído todo lo que he podido, en viajes, pero sin disciplina. Hoy en día tengo varios libros inéditos y siento miedo que mi relación con el lenguaje y la poesía quede sin habla. Lo que quiero decir a través de mi poesía no es algo predeterminado. Cada libro ha sido un proceso de entendimiento ante mis circunstancias existenciales

y temas que en mi vida me han conmovido de manera
personal y social. Cuando viví los rituales, me di cuenta que tengo una relación mística con la poesía, y mi lenguaje contiene aspectos de la mística, la vida de la filosofía y la antropología como una exploración de la mujer
con sus diferentes facetas de la historia. El acervo del lenguaje que me dio trabajar con los elementos, agua, viento, tierra, fuego, fue precisamente para reconocer las palabras que los contienen a cada uno de estos elementos,
la diversidad no solo como escenario si no como bagaje
histórico y antropológico, el juego metafísico, el metalen-
guaje, el eclecticismo, los híbridos de la geometría sagrada y la tradición en sus orígenes; la frontera entre ellos,
los deslindes y hasta el barroquismo del lenguaje. Luego fue el erotismo con el simbolismo francés, reconocer
mi relación de la escritura y el cuerpo amante. La poesía
amorosa con sus encantos y fracasos. Mis estudios como
maestra de primaria me acercaron a otras lecturas, al ensayo, a la narrativa y a la novela, a la filosofía de la educación y psicología.

Escribes poesía, ¿para qué? ¿Para quién?
De principio –aunque parezca egoísta– no creo que escribiera para nadie, de principio ni tenía la mínima intensión de escribir para alguien, yo sólo quería entender, en-
tenderme, entender a los demás y al mundo. Ahora escribo porque no tengo remedio. La poesía es para mí una
forma de explicar mi relación con las cosas y los seres humanos; la naturaleza y las circunstancias que me rodea-
ban. Aunque a mis lectores les gusta mi trabajo poético,
hoy en día, realmente me gustaría tener el termómetro

que me indicara si la poesía sirve para algo, o si a través del gusto estético se llegue al lector con un más allá del gusto estético, para reconocer el nervio social o como un servicio a la comunidad y su neurosis, o una forma de enfrentar el sin remedio personal. Realmente yo sólo escribo de lo que me consterna, de mis obsesiones e inconformidades, de mis vacíos existenciales, de mis ingenuidades e ideales, y porque sé que tengo la vida en contra.

Quizá este termómetro de para qué sirve la poesía nos lo den ahora las redes sociales. La pregunta que me hago: ¿Te da la red un verdadero poder social para cambiar el paradigma de la represión social o simplemente es un medio más con el que se cuenta? Tampoco ha cambiado en mucho los dictámenes de las organizaciones sociales que pretenden liberarse desde todos los tiempos. ¿Qué hay más allá o detrás de la red?

¿Desde qué perspectiva lo haces: canónica o marginal, central o periférica, tradicional o contemporánea?
Soy marginal, desde el momento que mis padres se horrorizaron de saber que me gustaba la poesía. Cuando les propuse que quería estudiar filosofía y letras, más se asustaron. Ellos no tuvieron la culpa, eran las circunstancias, yo tampoco tenía los medios económicos para aventarme ese compromiso, sola. Por lo tanto, nunca pude estudiar una carrera de filosofía y letras, pero si entré en el terreno de la educación. Ya después entendí eso de la impronta de los padres, leyendo a Freud y otros psicoanalistas y terapias de psicología. Pero mi experiencia con la poesía fue partir de un proceso interdisciplinario, que retome a partir de mi búsqueda, en viajes hacia los rituales

indígenas, y fue a través de la historia de los pueblos y la antropología. La historia es una experiencia que tienes que asimilar y yo como poeta no puedo ir más allá de mi propia historia, la de mi metro cuadrado, la antropología fue para reconocerme como parte de la historia del hombre, donde la mujer, dentro del origen patriarcal no existe como ser social. Así es que, por ser mujer y poeta, he sido doblemente marginal.

La relación interdisciplinaria y ritual con el arte y la cultura quizá me ha dado una perspectiva distinta a la poesía que he leído de mis colegas bajacalifornianos, pero no sé si eso se pueda medir, analizar, evidenciar, porque además adolecemos de la crítica del arte poético. Para mí la poesía parte de un fenómeno viviente, en acción constante, intensidad de intensidades, a flor de piel danzante, con los fuegos encendidos de los altares, en el ágora, con la pasión desbordante y en entrega, ofrenda o sacrificio. Como te decía, hace rato, la poesía la experimenté como un proceso vívido al principio, respetuosa con la tradición como ritual comunitario y la comprendí desde un punto de vista marginal, fuera de los cánones. Porque la cultura indígena precisamente vive en las márgenes de una civilización que la niega, mata o ignora. Por la discriminación o la devaluación de su cultura de origen, o lo que llaman el pecado de los padres. Sin embargo, creo que mi escritura, así como mis formas de hacer poesía o mi sensibilidad por la lectura del mundo, ha ido cambiando. Ahora no creo que escriba desde un terreno tan marginal como me sentía antes, aunque la poesía seguirá siendo marginal. Finalmente, mis propuestas de libro han sido aceptadas, así como la relación con las instituciones educativas y culturales, los premios y editoriales. Finalmente, la relación con los padres cambio, en la medida que fui aceptando que la poesía era parte de mi vida, así fui avanzando después de algunas crisis de renuncia al oficio, más que nada en choque con la incultura, los prejuicios y la ignorancia.

En todo caso, ¿qué clase de poeta eres según tu propio criterio?
Yo soy una poeta de mi tiempo, feminista y lectora de la vida, que habla de los temas que le preocupan del mundo actual, marginal de origen, porque la poesía lo es -y no puedo ser de otra manera-, fuera del canon porque eso de los cánones me crean alergia como los dogmas y los estigmas, y que reconoce la tradición, aunque no soy tradicionalista. La poeta que vive en mi tiene distintas voces, y seguirá siendo rebelde, erótica, mística, inconforme y apasionada con los temas que le obseden.

¿Cómo defines tu obra poética en el contexto de la poesía bajacaliforniana, mexicana, actual?
Diversa, marginal, ritual, periférica, para expresarse en voz alta. Digo diversa porque he abordado temas rituales y místicos, eróticos y como rebelde social, simpatizante feminista, (y digo simpatizante porque, no soy una militante feminista, y porque todos los "ismos" se me hacen extremos); marginal en el sentido de no pertenezco a un grupo que me registre dentro en un canon del norte como "X", o porque si soy "canónica" por estar en ciertas antologías que establecen el canon de "poetas fronterizos", como pudiera ser, la antología bilingüe *Across the line/ Al otro lado*, de Harry Polkinhorn y Mark Weis, así

como lo fue en un momentos dado *Poesía en movimiento*, realizada por Octavio Paz. Soy periférica por pertenecer al contexto de frontera. Triplemente marginal por ser mujer, poeta y de la ciudad frontera donde impera el desarraigo por el centralismo del país como sistema. (si a territorio se refiere). Jajaja. ¡Qué más!

Frente a otros géneros literarios, como la narrativa o el ensayo, la poesía en Baja California ¿qué da a sus lectores?
Ni quiero, ni debo generalizar, es difícil contestar esta pregunta. La poesía, desde mi punto de vista, es más directa, no deja de ser un fenómeno que te acerca a la sinceridad, a estar desnudo frente a los demás, a expresar sentimientos y emociones que la narrativa hace extensivos en acciones y circunstancias de personajes. Pero obviamente a los que les gusta contar me van a querer linchar. A mí siempre me costó trabajo narrar, aunque hice algunos cuentos, y me gusta mucho leer ensayos y hacer crónica. La poesía es más humana, te acerca a los lectores, con la narrativa o el ensayo se toman ciertas distancias. La narrativa y el ensayo están enfocados para los lectores y escritores famélicos, no se diga los novelistas. O quizá esto se deba a mi ignorancia, conozco pocos escritores de narrativa que se alimenten de la poesía moderna para escribir. La poesía te guste o no, fluya o no en nuestras vidas, en la vida de todo lector siempre está en los rincones de la sentimentalidad; en las canciones, triste y seductora, mística o infiel, libresca o popular, cursi o romántica, presente o ignorada. La poesía no deja que la existencia

pase desapercibida, precisamente porque le da sentido a la existencia.

Obviamente hay poesía que no es accesible, hermética y dista de crear lectores. Pero la poesía como lo dijo Emily Dickinson, la poesía es un tren ligero, para el lector quizá no lo sea para todos los lectores, aunque depende del nivel de lector, porque hay niveles. Pero si no la entiende, no pasa nada, el lector va de paso, se queda con unos cuantos versos, unas líneas y ya, la poesía seguirá. El lector famélico te exige más, y se aleja si no lo satisfaces. La narrativa y el ensayo cuando el lector no lo entiende, se siente un ignorante, un tonto, pero más que nada se necesita tiempo, estar orientados hacia la lectura, hacer más espacio de abstracción. Solo los obsesivos lectores, famélicos o no, seguimos leyendo, buscando el no sé qué, la explicación, los misterios que encierra la vida y la muerte. Ha de ser terrible tener que entregar un ensayo para una revista tal, o para la siguiente publicación con el tiempo encima, para una tesis de doctorado etc. Yo vivo esos tiempos, al momento de editar la plana del periódico, cuando hago crónica o algún texto en prosa, entrevistas, o reseñas de presentación de libros, etc. Es otro tiempo, se asume otra actitud. Más información, datos reales, lógica de pensamiento, coherencia, el ser abstracto.

¿Qué aporta a la fiesta de la palabra? ¿Qué temas domina? ¿Qué lenguajes alienta?

En los ochenta yo vivía más feliz, pero no sabía que era la vida. (¡Ja ja!). La fiesta fue irnos descubriendo como escritores, como poetas, en un oficio que implicaba una ardua labor, entonces había que ponerle a alegría a lo que se ama. Las cervezas para festejar una lectura, un nuevo libro, un nuevo performance o un nuevo viaje o premio, era parte de nuestro premio a ese "acto de heroísmo". El escritor del norte vive en el desarraigo, practica día a día su ironía, el desierto hasta en el dialogo, somos depresivos desérticos, abismales, escuetos, inconformes. Fuimos descubriendo tendencias y el lenguaje con la lectura y los talleres, en reuniones y tertulias. La región y la distancia hasta en la conquista española fue otra cosa. La tierra que nos tocó vivir es así, árida. Los norteamericanos se llevaron la California de nuestros sueños, nos dejaron sin agua, cortaron los canales de riegos, los ríos. Somos esta historia del despojo. Somos los incomparables yonkeros, los cafres (sin agraviar al grupo musical). La vida industrial del norte nos heredó basura o reciclados. Las tiendas de segunda fueron parte de nuestros museos, los sobre ruedas una exhibición de arqueología urbana, en la infancia. Somos los nómadas modernos, los migrantes de todo México, con la diversidad y adversidad a cuestas, y con las contradicciones de la política nacional a flor de piel, en hambruna y sed, de ese pasado glorioso prehistórico mexicano que sólo leímos en los libros de texto que nos regalaba la SEP, y de esos logros revolucionarios que EPN nos acaba de quitar con esas cuatro nuevas reformas agresivísimas. La historia siempre ha sido otra, y de otros, la del conquistador, no la de los conquistados, obvio.

Es imposible no vivir en contradicción eterna si eres consciente de tu realidad. Si haces constante ejercicios del criterio, para hacer la lectura consabida, de la casa, la ciudad, el mundo y sus alrededores, con los autores de libros que te gustan, con los escritores nacionales o latinoamericanos o europeos, o del mundo.

Los norteños hemos hecho una historia propia, como decían mis abuelitos, con "una mano enfrente y la otra atrás", como si no hubiéramos alcanzado para taparrabos. Los escritores de Baja California que lograron vislumbrar la literatura nacional, también lo hicieron con sus limitaciones. Federico Campbell, Luis Cortés Bargalló, Margarita Villarreal y José Javier Villarreal lograron ser figuras nacionales en la literatura mexicana, pero algunos se tuvieron que ir a vivir al D.F. El extraordinario caso de Federico Campbell volvió (y quizá vivió su mítico viaje a Ítaca), y me tocó verlo como el escritor del norte realizado y reconocido con una obra importante a nivel nacional, y después de haber vivido todas las agravantes, ya no está con nosotros. ¿Dime si eso no es una ironía de la vida?

En términos de libertad expresiva, de experimentación verbal, de rigor imaginativo, ¿cómo ves la situación de la poesía bajacaliforniana del siglo XXI?
Lo hermoso sucedió en los ochenta en Tijuana, con toda la ingenuidad que pudimos acrecentar, promotores de la literatura y escritores en ciernes. Fue cuando se abrieron posibilidades y sueños que apenas estamos viendo realizarse. La poesía sigue teniendo todos los rostros. Creo que la poesía con el tema de la ciudad ha desarrollado algunas propuestas interesantes, y por lo mismo es más crítica. La vida del siglo XXI viene con un avasallamiento de las nuevas tecnologías, a través de una propuesta del arte poética, lo que cambia es la forma. Como decía el "zorrito de la televisión en canal doce", antes teníamos nuestra

"máquina de escribir portátil", el bolígrafo, luego vino
la máquina de escribir con teclado, con carrete, luego el
procesador de palabras electrónico, y ahora la computa-
dora. Esto ha sucedido en los últimos 30 años. Y ahora
la poesía ha pasado a ser un experimento con las nuevas
tecnologías y la ciencia. La palabra escrita por sí sola tiene que demostrar el rigor del oficio. Se salvan unos cuantos que han experimentado con el perfomance, la interdisciplina y siendo sinceros con su tiempo y el oficio. Yo
no veo muchas alternativas para las jóvenes desde hace algunas décadas. Desde que se inició esa farsa centralista
de la "Literatura Joven" o escrita por jóvenes. Muchos se
fueron en la finta. Y como siempre son pocos los que han
podido hacer algo auténtico o digamos con un pensamiento autocritico de la Literatura. Pareciera que los jóvenes poetas se creyeron que en la Universidad se hacían
poetas. Y de pronto la "fábrica de poetas" que se dio en la
universidad no logró sus expectativas. El escritor nace y
se hace de una formación universitaria, no al revés.

Una educación sin filosofía y sin poesía obstruye el
pensamiento crítico, reprime la sentimentalidad. Siento que en Tijuana hay más "poetas" que lectores. Y de
pronto las antologías aparecen poetas con un solo poema,
un solo libro. ¿Cuál es el compromiso con el oficio? Hay
amigos entre poetas para hacerse miembro de una "capi-
lla neocultural" y esto me parece decepcionante, es irse en
la finta de la moda neocultural, sin ser autocríticos. Tengo la impresión que las nuevas generaciones de jóvenes
escritores bajacalifornianos no quisieron ver que había
atrás de sus hombros, en términos de experimentación en
la frontera, o concentrarse en las pasiones que los movían

a escribir, a vivir, a ser. La poesía tiene su propio sentido, sin ser crítica, es castrante; sin una propuesta estética, es decepcionante; sin una sentimentalidad que corresponda a nuestro tiempo, vive desfasada.

¿Qué le falta y qué le sobra?
Como dijo Elsa Cross, "el único instrumento es la pasión". Les falta enamorarse de la literatura y de los amantes de la literatura, hacer la verdadera entrega u ofrenda, les faltan las lecturas críticas que tuvimos los de generaciones pasadas, y asumirlas, vivir la poesía. Dejar la frontera entre los que escriben la literatura joven y la de nosotros no tan jóvenes, porque para el escritor no hay edades, el manejo del tiempo es el mismo en la literatura, los tres básicos: presente pasado y futuro. De pronto parecía que esa neocultura les ofrecía la bandeja de plata. Y les falto la confrontación con la propia vida. Asumir la literatura como un buen viaje o aventura por la vida. Sin padres literarios, la "capillita culturosa", fue la opción.

¿Cómo te ubicas en ella?
Yo me ubico fuera del cardumen. Con una experiencia muy distinta y con una propuesta de búsqueda muy intensa, sola o acompañada. Conocí a muy buenos escritores y poetas cuando trabajé de promotora en Fonapas, promoviendo talleres literarios en presentaciones de libros: María Luisa Puga, Antonio Alatorre, al maestro Jaime Valdivieso, a Gioconda Belli, a Silvio Rodríguez, a Jaime Sabines, José Emilio Pacheco, Eraclio Zepeda, y a varios artistas de nivel internacional que llegaron a los festivales del Octubre Internacional, que organizaba Fonapas. Cuando inicié mis rituales poéticos, con la danza

afroantillana, conocí a los bailarines del Ballet de Cuba Isupo Irawo, con quienes practiqué rituales afronatillanos con todos los dioses Orishas, y al percusionista, maestro y compositor Jorge Peña, con quien realicé mis primeros rituales poéticos. Cuando apareció esa neopolítica cultural de la "Literatura Joven" yo estaba dejando de ser joven, corrían los días de 1995. Y, sin embargo, con un (de) cierto camino trazado. Ya había realizado varios viajes y mis performances, rituales y acciones poéticas, por el norte de México. En 1992 regresé de Nueva York. Había hecho un performance con actores y bailarines en Bufalo City, "Roots Migrant Routes", en el teatro del Centro de arte contemporáneo. Pero tres años después, yo ya no era joven. En el nuevo gobierno de Ernesto Zedillo, en 1996 se les ocurre categorizar a la nueva literatura por edades. Eso fue una trampa para mí. Me olvidé de participar en los concursos, premios, becas, convocatorias, que fueron trancas para mi desarrollo, y en los que podía estaban esos jóvenes haciendo fila, u ocupando puestos de gobierno, creando sus capillitas de cultura, y pues yo era "la vieja enemiga" de la neocultura nacional. A mis tiernos 35 años, me había convertido en huérfana de padre (+) y tenía mi segunda hija. Me dediqué a ser madre, proveedora, y volví a la SEP a trabajar como maestra de primaria.

Escribir como nativo o residente del norte del país, de la frontera incluso, ¿en qué sentido condiciona tu escritura.

He asumido mi natividad tijuanense con mucho orgullo, y ahora soy una especie en extinción. Mi familia llegó aquí en 1947, después de la Segunda Guerra Mundial, eso ya hace historia en mi vida. La mitad de mi familia se fue a vivir a Estados Unidos, y yo tendría que haber seguido sus pasos, por aquello de buscar "mejor vida" en el "sueño americano". Disfruté a Estados Unidos, en viajes, pero para vivir se me hacía una terrible pesadilla. Siempre me pareció un país sin vida poética, no por sus poetas, pero quitémosle el adjetivo, y dejemos lo tácito: sin vida, frío, industrioso, con un idioma difícil para mis sueños latinizados, con un ambiente lleno de soledad y completamente obtuso. Me hubiera muerto de soledad, y siendo extremista me hubiera quedado en un hospital psiquiátrico, o siendo trágica, asfixiada por un horno de gas como Silvia Plath. Sin embargo, ya de joven, Tijuana me pareció una ciudad muy comercial, un laboratorio de lo humano o subhumano, un espacio impertérrito. Por eso mis tendencias de buscar hacia el sur, la tradición mexicana desde sus raíces, fue una necesidad de mi expansión y expresión. El verbo viajar, me inspiraba, me seducía. Los primeros viajes a Baja California con mis padres fueron una aventura fantástica. Era ir a la tierra de la primera ciudad industrial donde nace mi apellido francés, que aún es misterio en mi vida. Era ir a reconocer las historias de piratas y corsarios, de sirenas y medusas. Era comprobar los cuentos de mi madre acerca de los tesoros enterrados que dejaron navegantes de grandes galeones que llegaron de lejanas tierras. De los sepultos de muertos y aparecidos, buscadores de preciosas perlas encontradas en playas casi míticas y desconocidas. Recorrer el territorio que mi padre y mi abuelo cruzaron a caballo, cuando no existía la carretera peninsular. El famoso "Espinazo del diablo", no solamente era un lugar, era un nombrecito que me inspiraba un terror dionisiaco, era para mí un título que podía contener una gran leyenda.

¿De qué forma reaccionas a esta realidad: evadiéndola, confrontándola, asumiéndola como propia?
Creo que he sido lo suficientemente confrontativa de mi realidad, y he asumido hasta mis errores como he podido. Me costó mucho trabajo aceptar que aquí las piedras y los cerros eran mi legado histórico, geográfico, por eso preferí soñar que la vida era pura imaginación, y lo puedes ver en mis poemas más delirantes y los más devastadores. Los lodazales a los que nos enfrentamos en la infancia eran reales y muy limitantes. Pero hacer pasteles de lodo era una maravilla, jugar a la casita hecha de cartones, y esperar a que a mi mamá se le acabara la escoba para hacer unos palos para jugar el shangai, era lo máximo. Ver el viento entre las ramas del pirul, paseando en mi columpio de llanta, era vivir el ensueño. Mi creatividad e imaginación no tenían límites.

¿Qué diferencias hay entre escribir poesía en Baja California o fuera de Baja California? ¿Las distancias ayudan a comprender mejor tus propios orígenes, a entender mejor los lazos afectivos, sensibles, conceptuales que te unen a la matria peninsular?
Yo soy muy sedentaria. Bueno, todo escritor tiene que instalarse con un mínimo de recursos para ponerse a escribir. Tuve que salir de Tijuana para entender mis lazos con la escritura a partir de una tradición literaria. Cuando leí *La región más transparente* quise conocer esa región; cuando leí *Pedro Paramo*, quería entender esos caminos

pedregosos y voces fantasmales, que no fueran los míos. Hasta eso hemos tenido que hacer los norteños: fundar una tradición literaria del norte. Los escritos bajacalifornianos o son de la "era de piedra", literalmente hablando, o son míticos cuentos de amazonas y vírgenes pedestres. La tradición oral la entendí por boca de mi madre, cuando reconocí tal tradición en mi país. Mi relación con la península ha sido muy particular, puesto que mis padres eran originarios de San José del Cabo. Empecé a apreciar el territorio desde niña, con los cuentos orales que me platicaba mi madre de piratas y hechiceras, tesoros enterrados y los infiernitos del pueblo pequeño. Me encanta la península por su naturaleza, en ese paraíso de luz, me parece impresionante en su estado prehistórico, sus formas inaprensibles, salvajes, sus caminos rupestres, esa desolación marcada por el macro tiempo, y la sed del desierto. Hago esta cita en uno de mis libros: "La distancia es el alma de lo bello", nos dice Simone Weill, frase con que me identifico. Precisamente porque la distancia es parte de ese espacio tiempo en que navegan mis letras. La matria peninsular aun la tenemos que descubrir los escritores del norte, Jorge Ruiz Dueñas hizo lo suyo, y hay otros que lo están haciendo. Escribir desde afuera, en vuelo o viaje, si me ha hecho valorar mi tierra, vincularla a la macro historia del mundo, a los siete mares del orbe, por eso siempre regreso al mar. Cuando, estuve en Cuba y en Puerto Rico, que "son de un pájaro las dos alas", me recordaba cantando esta canción junto con la trova, con mucha emoción, cuando fui a Santiago de Chile, y leí frente al Palacio de la Moneda, me vi en el recuerdo leyendo un libro que me ilustraba acerca del golpe de estado de Pinochet, en mi pequeño estudio, llorando a causa de la ignominia. Somos lo mismo, parte de una sentimentalidad latinizada, con raíces muy fuertes, con una historia que contar, desde tu metro cuadrado. En la frontera los poetas somos los carnales, la resistencia de la carnalidad, la carnada.

De tus libros publicados, ¿cuál es el que consideras sea el más fiel a tu experiencia vital, a tus búsquedas creativas y por qué?
Yo creo que el primero, no porque sea el mejor, porque no lo es, ni te sabría decir cuál es el mejor, a todos los hijos se quieren, simplemente son distintos. La experiencia en el oficio, las lecturas, la apropiación del lenguaje siempre te enriquece al escribir, y eso lo adquirí sobre la marcha. Pero en experiencia vital, *Ritual y canto*, para mí fue como una iniciación a la magia de la poesía, implicó el viaje, la decisión existencial de lo que iba a proyectar en mi vida a futuro, cortar el cordón umbilical, desobedecer para seguir mis propias decisiones, y enfrentar mis contradicciones, dejar muchas cosas, (apariencias, prejuicios, ignorancia, dogmas, status, hábitos, etc.), reconocer mi psique y despojarme de mi estado de confort, quemar las naves, aventarme al abismo, iniciar una danza en la cuerda floja.

Cómo ves a la poesía que se hace en la frontera norte, en Baja California específicamente?
Tengo problemas para ubicar la poesía de Baja California y la que se hace en Baja California. La poesía no puede ser parte de la maquila. Decir hacer poesía para mí es

algo frívolo. Mi vivencia y convicción es el ser, eres o no eres poeta, y te reafirmas en el oficio, con el estudio, en el taller, con la entrega y la decisión de seguir creando versos hasta el fin de tus días. No podría generalizar en esto. Nuestras limitantes en general son las mismas que hemos tenido siempre, la falta de talleres, los intercambios entre ciudades, la falta de ediciones, falta de apoyos, la falta de entrega apasionada, salir de la ciudad.

Decir poesía de la frontera norte, implica que el tema de la frontera si nos sujeta a un canon. Mucha gente se dice de Baja California y no son nativos de aquí. Se tendría que establecer como un canon a los poetas fronterizos, a quienes hemos vivido el fenómeno fronterizo como un principio de vida, de migración, de convivencia social, económica, geográfica y política. Los que vienen de otros estados, y no tuvieron visa para cruzar y conocer esa realidad entre Tijuana y San Diego, hablan de otras cosas y ven la frontera sin la vivencia del "otro lado". Hay quienes hemos vivido este fenómeno desde la infancia. En los encuentros literarios desde los ochenta, cuando intentamos definir la frontera nunca lo logramos, no sé qué pienses tú, pero divagamos mucho con el tema fronterizo, poetas y escritores del norte y del centro y del sur. Y luego, invitaban a estudiosos de El Colegio de la Frontera Norte, y los sociólogos se encargaron de tratar de definirla, pero los sociólogos no leen poesía, salvo excepciones. Los sociólogos nos lanzaban los datos duros y los poetas la vivíamos con el dolor que implicaba de esa vida fraudulenta y de injusticia social, con todos los "sentimientos de la nación" a cuestas, sus despojos y desarraigos.

No podemos hablar de la frontera sin los cambios políticos. Existe un fenómeno de resistencia y eso me gusta, de quienes han seguido escribiendo y reafirmando su ser fronterizo.

Hay voces de poetas que están ubicados desde hace más de veinte años y se consideran bajacalifornianos. Por eso la poesía tiene muchas voces distintas. Como los paisajes del desierto, la poesía en Baja California puede ser inverosímil; algunas voces son bizarras, otras son como perlas perdidas en la arena, y con la globalización, algunas son parte de un *flashmob* mundial. Con los sinaloenses llegaron algunos buenos poetas, pero también esa otra herencia mafiosa del narco y la narcobanda; unos venían huyendo de ella, y otros a reafirmarla. El colmo es que en Tijuana hay un grupo líder que propone hacer una colonia de sinaloenses para escuchar su narco música sin que los molesten. ¿Por qué digo esto? Porque influye en el nervio social de la ciudad. La poesía sigue estando en los márgenes. Es un fenómeno de resistencia. Tiene muchos rostros, los rostros de la diversidad. Después de la globalización el tema fronterizo paso a ser otra cosa. La posmodernidad, la vivimos inconscientemente desde el siglo pasado, hasta que se empezó hablar de ella como si fuera moda.

Y lo que me gusta de la poesía que se hace en Baja California es que refleja todo esto. El abandono, la ironía, el absurdo, el dolor. Te gusten o no los formatos. Pero definitivamente hay que apropiarse del lenguaje, reconocer su contenido, su sentido, etc.

¿Qué poetas de la entidad han aportado obras significativas y cuáles han sido sus aportaciones fundamentales a la lírica nacional?

Esto difícilmente se puede medir. Y no sé si entre nosotros los norteños haya intensiones de sobresalir y hacer aportes en la lírica nacional. Se vale tener ambiciones, y es bueno tenerlas. No dudo que haya obras significativas, pero creo que no puedo contestar esta pregunta. En primer lugar, la lírica nacional nos lleva más 500 años de lírica, en ventaja. Si consideramos al poeta de la lírica prehispánica, a Nezahualcóyotl, el nació en 1402. Y luego vino la conquista. Sor Juana aun es insuperable, y seguirá siendo contundente.

Y así, los poetas de los siglos pasados, las influencias de las guerras mundiales y las civiles, europeas, aportaron mucho a la lírica mexicana. Y nosotros, los norteños se guíamos fuera del radar. En los ochenta, cuando se empezó a hablar de la literatura del norte, éramos así como una "literatura larvaria", (pertenecientes a la cultura de los hijos del ajolote, como diría Roger Bartra, en su *Jaula de la melancolía*), y había poetas y escritores más formados que otros, algunas promesas, en narrativa, en Tijuana era Luis Humberto Crosthwaite, y mira que sí cumplió. Creo que el análisis de la poesía en la frontera se tendría que hacer no con la comparativa lirica nacional, sino desde nuestro contexto de escritores, no solo del norte, sino del desierto, y de nuestra relación y vivencias con Estados Unidos, esto cada vez lo valoro más. La sentimentalidad de los poetas del norte no sería la misma sin las canciones que escuchamos en la infancia y adolescencia. Tengo la impresión que los promotores de la literatura bajacaliforniana les hace falta el criterio de la región, sin ser regionalistas. Valorar el criterio de nuestras instituciones culturales nacionales y del estado, que quieren que seamos como

los del centro, o tan buenos como los de Jalisco, o tan
místicos como los de Yucatán, pulidos y barrocos como
los chiapanecos, o tan dedicados como Octavio Paz, etc.

Pero no como somos nosotros, así, transparentes, frag-
mentados, francotes, irónicos, de principio desarraigados
de la tradición y huérfanos de la lírica nacional. No deja
de haber una ironía en esto, humor negro tan caracte-
rístico y aforísticos, o sea escuetos. No me gusta decir
nombres para no herir susceptibilidades. Pero poetas
como Rubén Vizcaíno (+), Francisco Morales, Roberto
Castillo, Rosina Conde, Estela Alicia López Lomas, ya
son referentes regionales; y de los más jóvenes que aprecio su trabajo: Omar Pimienta, Luis Gastélum, Amaranta Caballero, Gerardo Navarro, (como *spoken word* y
creativo artista multidisciplinario), Tomás Di Bella, así
como otros. Poesía de mujeres, Aglae Margalli, Rosa Espinoza..., en fin, puedo mencionar a otros, pero no me
gusta pasar lista. A Luis Humberto Crosthwaite, algunos
escritores del sur no lo tomaban en serio porque siempre
nos ha hecho reír con sus ocurrencias. Un buen narrador
es Ramiro Padilla Atondo, (de Ensenada). No sé cómo se
oiga esto, pero hace falta un verdadero estudio acerca de
todas las voces de la entidad.

**¿Qué tendencias predominan hoy en día en la poesía ba-
jacaliforniana contemporánea?**
Tú sabes mejor que yo de las tendencias, con todo lo que
has investigado. A mí me han leído y dicho irónicamente
la "Sor Juana la de Tijuana", con tendencia paziana, o influencia de Sabines, No creo que se pueda hablar de tendencias en la poesía Baja Californiana en este momento, sino de autores y sus poéticas. Pero falta el análisis

crítico, sopesado, ecuánime de los de la poesía de los autores de Baja California. La poesía para mí ha sido como una adicción. Y lo trato de expresar en mis últimos poemarios inéditos, *Mujer que vuela*, *Desierto en fuga* y *Hojarasca del silencio*. Una es la droga celestial y otra es la droga virtual. Creo que la poesía con las nuevas tecnologías está cayendo en un proceso de experimentación y de intercambios que aún no podemos medir. Pero yo sigo pensando en que, si no hay un pensamiento crítico, se caerá en la inercia de los tiempos con el uso y abuso de la tecnología. Los fenómenos sociales en la red, y con las editoriales independientes, se están proliferando un sin número de voces, no solo en Baja California. sino por el mundo que ya no se pueden detener. Desde el siglo pasado, los intercambios internacionales, los grupos organizados alrededor de la poesía, son impredecibles. Están brotando en todos lados. El fenómeno de la globalización es parte de las tendencias, sin tendencias. Dentro del fenómeno de la globalización, escribir desde tu metro cuadrado, ya es decir que eres poeta de este mundo. Pero los límites del lenguaje siguen siendo los límites de la mente. Las fronteras las creamos nosotros mismos. Pero para vivir el ser fronterizo, necesitas visa, definitivamente, porque con este hecho se experimentan todas las contradicciones. La poesía y la frontera geopolítica tuvimos que vivirla. La frontera sin visa se convierte en un muro. La poesía con visa o sin visa se convierte en una resistencia.

La poesía bajacaliforniana dejó de ser un fenómeno de frontera con otras tendencias nacionales, y ahora pasó a ser un fenómeno global.

Gabriel Trujillo Muñoz

¿Hay estudios sobre tu obra y si no hay qué impacto tiene la falta de un aparato critico alrededor de la practica poética de un poeta como tú?
No hay estudios sobre mi obra por autores de Baja California, excepto, algo tuyo, en mi libro de "Huella en el agua" y que me gustó mucho. Cuando un poeta habla de otro poeta la poesía es una extensión de los que somos y se puede hablar de esta identidad que nos provoca reconocernos como parte de un fenómeno escritural que pocos entendemos. Los artículos que escribió el Profesor Vizcaíno, respecto de mis primeros libros con mucho entusiasmo. Hay algunos análisis, entrevistas, reseñas y prólogos que me han parecido importantes, de autores serios. Yvonne Arballo hizo un análisis de mi poemario *Mujer de sal*. Me gustó mucho aparecer en *La trenza de Sor Juana*, con un ensayo crítico de la escritora Eve Gil, y luego en la revista *Siempre*, con una entrevista de ella misma; las apreciaciones y traducciones al inglés por Mark Weis, y al polaco de Cristina Rodowska y su presentación que hizo en *No es mentira este paraíso*, las inclusiones de esta en algunas las antologías de poesía que han dado la vuelta por el orbe. Hay un autor de San Juan Puerto Rico que me ha seguido entrevistando a lo largo de algunos años desde que fui por primera vez a la isla y le intereso mi trabajo. El poeta Carlos Esteban Cana. La falta de crítica a la obra poética siempre nos hace falta. Una crítica sensible, profunda, contextualizada. Porque considero que la crítica debe de ser eso, acercarnos al autor, para valorarlo en su momento, ver qué es lo que nos aporta con su trabajo, para entender el fenómeno de la comunicación, saber que nos quiere decir. Un estudio serio, sin la

mala leche del criticón, porque si no para qué. De cualquier modo, se es subjetivo, y mi trabajo ha tomado ciertos riesgos, también de manera inconsciente.

Las peculiaridades de la poesía de la entidad –clima inhóspito, urbes con distinta personalidad, el espacio fronterizo, la escasez de publicaciones–, ¿cómo influyen en la escritura poética?
Creo que esta pregunta ya te la respondí, anteriormente, acerca de los autores del desierto. Tampoco podemos negar nuestro origen, somos los sedientos de amor, los hambrientos: *Nosotros pordioseros, nosotros por dioseros, nosotros por Dios Eros*. El mar para mí ha sido el espejo inagotable de imaginación a lo largo y ancho de la península, los viajes que tuve que hacer hacia el sur de México, -algunos de manera impulsiva- por rescatar las palabras a la distancia. Nosotros no somos los poetas exiliados, los héroes de ninguna dictadura, ni revolución. Nosotros somos los carnales, somos la carnada, la carnalidad de la resistencia.

Ya no vivimos en la era de la divinización del poeta, de la sacralización de la poesía. Ahora se escribe desde la cotidianidad de cada quien, desde la realidad de cada uno. La poesía radica hoy en un discurso más directo y personal, en la plaza pública, en las redes sociales, en la democracia de las palabras. ¿Cómo la vives tú? ¿Cómo la difundes al mundo?
Como te dije he vivido la poesía en distintos niveles, sin intensiones de publicar, primero artista multidisciplinaria, como conjuro, mística, fui al rescate de la imagen de

la diosa, necesitaba saber y deconstruir los mitos de la mujer sagrada, me remonté a los siglos atrás. Muy a mi manera, concentrada en una investigación sobre la figura antropomórfica de la Diosa, y me entregué a esa figura soñadora, creyente y devota de otros universos, y si la viví divinamente, como de milagro. Así hice *Ritual y canto, Mujer de sal, Tres veces tres, Enediana*. Viví de manera mística con cada uno de mis montajes escénicos, la vivía con todo mi templo lleno de símbolos y versos ardientes y llenos de compasión, y encontré muchas afinidades y cosas interesantes; hasta que empecé a sentir que corría sangre por fuera de mis venas; porque no me mantenía de eso, le invertía lo poco que ganaba a mis montajes, llegué al éxtasis del sacrificio. La cultura de la Diosa frente a la modernidad y el machismo se convierte en un acto de sacrilegio, un fenómeno que solo el que lo vive lo sabe. Vives el destierro. Y bueno hay que volver al centro de tu tiempo, reconocer el tótem del aterrado. Volví a agarrar piso, y a dar clases para cooperar para el mantenimiento de mi casa e hijos, fui viendo el mundo desde mi circunstancia desde la cotidianidad, desde mi realidad, de mujer y madre. La democracia como la libertad, no existen en este país, tienes que construirlas, luchar por ellas. La democracia poética le la da luz a tu voz viviendo todas las agravantes de la existencia. La democracia social te da un espacio para saber que estás en el mundo con algo que decirle a los demás. Estas dos democracias, el poeta tiene que construirlas.

En una sociedad como la nuestra, tan pragmática, tan consumista, plena de modas efímeras, ¿aún hay espacio

para la poesía o ésta sigue siendo una actividad minoritaria, un culto académico, una secta protegida institucionalmente, pero sin repercusiones en la sociedad en general? ¿Con qué clase de interlocutores cuenta tu poesía? ¿A quién se dirige aparte de ti mismo o del círculo que la frecuenta y practica como creación literaria?

Tijuana ha crecido, y yo he viajado, he vivido mi poesía en diferentes niveles. Hoy puedo decir que tengo lectores que buscan mi obra, no sé cuántos, pero hay una respuesta constante, y asistencia a mis lecturas, así como admiradores y admiradoras. Los organizadores de encuentros o mítines que me invitan a participar en sus eventos, en los festivales.

Las obras de poesía serán como las piedras del desierto peninsular, una muestra de granito y de cantera, un contraste con la adversidad, y la diversidad, los extremos de la aridez y las aguas de nuestros mares. Historias del espejismo con sus metáforas delirantes. La realidad como ficción. La ficción como sequia cultural.

Rael Salvador

¿Qué te llevó a la escritura poética? ¿Qué te hizo poeta? De tus primeros versos a los actuales, ¿qué ha cambiado en tu forma de escribirlos? Hoy en día, ¿cuál es tu relación con el lenguaje poético, con lo que quieres decir a través de tu poesía?
Si al nacer uno se descubre a la vida, es seguro que el escritor se descubra a partir de la lectura. Si como dice Facundo Cabral, escribir es una maravilla que provoca la lectura, la poesía es la anfitriona más cercana y seductora: la belleza que desnuda al lenguaje y lo arropa con la transparente aurora de las metáforas, las mismas que enamoraron a Rimbaud y que, en la primera adolescencia, me obligaron a beber los líquidos tornasoles de mi propio cráneo humano, alegoría fundacional del pensamiento y la realidad.

Escribes poesía, ¿para qué? ¿Para quién? ¿Desde qué perspectiva lo haces: canónica o marginal, central o periférica, tradicional o contemporánea? En todo caso, ¿qué clase de poeta eres según tu propio criterio? ¿Cómo defines tu obra poética en el contexto de la poesía bajacaliforniana, mexicana, actual?
Escribí poesía todo el tiempo. Palabras cinceladas por la paciencia, poco después. Cuantificada en un quinteto de libros de poesía publicados y otros tantos compendios de ensayos circulando, considero que es mejor no calificarla, sino clarificarla. Desde los ejercicios de libertad temprana cifrados en *Pandemónium* (antipoesía), hasta

la reciente edición de *Claridad & Cortesía*. La creación de una belleza nueva, pasando por *Obituarios Intempestivos*, podría decir que la verticalidad de una categoría se deja vencer por una horizontalidad de un reconocimiento avalado por los lectores. No muchos, pero sí muy fieles y exigentes. Y no está de más reconocer, sin por ello pasar de poeta a profeta, que el mejor antologador de lo escrito que realmente vale la pena, y que sin restricción reconocemos los oficiantes de lo literario, es el tiempo, así muy pocas veces el creador es reconocido por sus cercanos, estando en vida.

Frente a otros géneros literarios, como la narrativa o el ensayo, la poesía en Baja California ¿qué da a sus lectores?, ¿qué aporta a la fiesta de la palabra?, ¿qué temas domina?, ¿qué lenguajes alienta?
Cuando el ensayo irrumpe y lo anecdótico cotidiano encuentra la amabilidad del discurso, me apropio de un estilo definido, un tanto poético y de Quinta estación (la belleza de las cosas sórdidas), como lo quería Albucius Silus, maestro latino de la gracia y la imperfección, y así construyo mi literatura en los medios: el reportaje o la reseña, a través del dato duro y el color. Si el periodismo pasa, que la literatura quede. Ya que la escritura poética, muchas veces en prosa, es una virtud en sí misma.

Escribir como nativo o residente del norte del país, de la frontera incluso, ¿en qué sentido condiciona tu escritura, ¿de qué forma reaccionas a esta realidad: evadiéndola, confrontándola, asumiéndola como propia?

Vengo de la alegría de vagar y, sobre todo, de dar la vuelta al día en ochenta mundos, como lo recomendaba Cortázar. De joven viajé mucho: mochila al hombro y en el camino; o como coordinador de programas culturales (SEP), lo que me permitió estar cerca de intelectuales que devoraron las extensiones del planeta: Eduardo Galeano, Texeiro, Facundo Cabral, Juan Gelman, Efraín Bartolomé, Jaime López, etc., puro pata de perro. De hecho, ahora que trabajo un documento sobre Jim Morrison (Nadie entra vivo por la puerta de la muerte), donde la emulsión misma del origen de las estrellas es la salvaje belleza de su libertad, recordaba que en los años 80 estuve en Venice Beach, con mi amigo Héctor García Mejía, fotógrafo como ninguno (quien venía de la presentación editorial de *Rider in the Storm*, libro biográfico de John Densmore), recorrimos las huellas poéticas de Jim dejadas a la luz de la Luna, y así llegamos al mítico Whisky a Go Go. Lo demás es una fiesta íntima, que reacomodo en este ensayo biográfico.

¿Qué diferencias hay entre escribir poesía en Baja California o fuera de Baja California? ¿Las distancias ayudan a comprender mejor tus propios orígenes, a entender mejor los lazos afectivos, sensibles, conceptuales que te unen a la matria peninsular?
No las hay, así como en lo poético soy como un niño grande, huérfano, que el erotismo no colma, en la distancia siempre me alcanza el origen. Así como siendo maestro no soy maestro, sino que soy lo que queda de un poeta dentro de la educación: No vivo de acuerdo a mis ingresos, sino de acuerdo a mis medios emocionales. Y esa

intensidad me la brinda la pulsación del arte. Y del arte, y sus múltiples disciplinas, escojo la que más me asienta: la literatura. Y de ella prefiero su etapa inicial o primigenia: la lectura. Y, sin más, esa es mi riqueza, mi activo personal, mi solvencia en la vida. Lo demás, herramientas y garfios para el hundimiento de la humanidad simuladora".

De tus libros publicados, ¿cuál es el que consideras sea el más fiel a tu experiencia vital, a tus búsquedas creativas y por qué?
Obituarios intempestivos, vida y muerte de Albert Camus, Facundo Cabral y Anna Politkóvskaya (Ensayos biográficos) guarda algo muy especial. He seguido acuciosamente el rastro de los tres; he leído sus obras, entendido alguno de sus conceptos, explotado parte de sus filosofías. No conocí a Camus, personalmente, ni a Politkóvskaya, sino sólo a través de sus escritos, pero sí llegué a convivir con Facundo Cabral: una serie de entrevistas que se desbordaron más allá de la cabalidad, dejándome la enseñanza del contacto directo, y todo a partir de la cultura de los libros. Después de sus muertes intempestivas, no he dejado de interesarme e indagar en las novedades, ya sean reconstrucciones artísticas o humanísticas, que mantienen vivo su legado en el presente. *Obituarios intempestivos* intenta alimentar esa llama. En el caso de Camus, en un mundo donde el sueño estéril de los hombres es más sagrado que la fortaleza de los marginados, ni su mejor enemigo, Jean-Paul Sartre, le deseaba la muerte; lo mismo puedo decir de Anna Politkóvskaya, que ante la lucidez solícita de sus reportajes periodísticos, los estériles

lacayos del régimen, carentes de creatividad alguna y uniformados por la brutalidad de la complacencia, decidieron entregar la cabeza de Anna como dulce regalo en el cumpleaños de Putin, el 6 de junio de 2006, día del atroz crimen. Cabral, tiro en la frente, que no merecía ni había buscado, aguijonea la conciencia de la humanidad, y lo hace con la resaca del absurdo que había propuesto Albert Camus y en el que él mimo habría de ver su destino".

¿Cómo ves a la poesía que se hace en la frontera norte, en Baja California específicamente? ¿Qué poetas de la entidad han aportado obras significativas y cuáles han sido sus aportaciones fundamentales a la lírica nacional? Estar en contra de todo y contra todos, no es más que la manifestación de que algo no marcha favorablemente en nuestra literatura.

Quien ejerce la contingencia visceral quizá sólo esté demostrando que los caprichos se le han convertido en obsesiones incontrolables que, de manera desesperada y de forma por demás abyecta, terminan violentando todo lo que hay alrededor, y es el caso de algunos poetas "consagrados".

Argumentos es lo que más falta a la hora de abrir la tinta de los comentarios protagónicos, que socavan la realidad al hacerse pasar por verdades indelebles, maquilas personalizadas que terminan, psicológica y socialmente, en el rango de lo sospechoso.

Pero tal parece que no todos los "poetas" se encuentran destinados a poner en práctica la metodología necesaria para cuestionar la realidad, en cambio sí poseen el sobrado cinismo para discrepar, objetar, contradecir o refutar como dioses famélicos, aportándole más heridas a la negatividad y fatuidad, en muchos casos, de sus versículos. No digo más, pues no deseo parecerme a ellos.

¿Qué tendencias predominan hoy en día en la poesía bajacaliforniana contemporánea? ¿Hay estudios sobre tu obra y si no hay qué impacto tiene la falta de un aparato critico alrededor de la practica poética de un poeta como tú?
Herederos de una anarquía informal, tiempo donde los bajos fondos son divisa de cambio, el crítico se nos ha quedado sin definición… Cuando veo lo tendencioso de algunos versistas, dejo que las tendencias se aniquilen en sus tentaciones.

Siglo de siglas, de una justicia sin reciprocidad, donde las equivalencias entre pobreza y descaro, riqueza y benevolencia, genitalidad y economía, neurosis y seducción, imbecilidad y fuerza, verso y prosa, sin ser sorpresa para nadie, generan la comprensión de un cáncer capital devorándose a sí mismo: el cálculo interesado mediando juicios emocionales.

En palabras del pensador y crítico de arte Jorge Juanes, podría agregar: "Tenemos así que la mano temblorosa que de noche sostiene el vaso de whisky, a la hora de la jornada laboral se convierte en mano diestra condenada a someterse a la máquina productiva que sigue los ritmos impuestos por la necesidad imperante de producir plusvalía".

El sinsentido y la vacuidad enmascaradas por un activismo poético presupuestado por las instituciones, más efímero que los gestos y muecas de la historia errática y el hundimiento de un cinético mundo cambiante.

La escritura como adorno retorico en el poeta, podría sentenciarse. Pero esto sería más una mentira que una agresión, pues el poeta en turno, metido a crítico, no sabe escribir.

Más acertado sería reconocer que, vana individualidad de los contrarios, hemos arribado a la exaltación o a la banalidad, "al sentimentalismo que no sabe pensar", como solía enunciar el cómodo doble filo de Paul Ricoeur.

Las peculiaridades de la poesía de la entidad —clima inhóspito, urbes con distinta personalidad, el espacio fronterizo, la escasez de publicaciones-, ¿cómo influyen en la escritura poética?
Murió el poeta y escritor chileno Roberto Bolaño, pero antes sentenció con fuego sobre la roca de la vida: "Hay una clase de personas que necesitan participar del Arte, pero que están negadas para cualquier acto de valor y para acceder al Arte lo primero que se necesita, incluso antes que talento, es valor". Como persona, como escritor y como poeta, pero sobre todo como lector, sin importar la escasez de publicaciones, lo secundo: ya no se diga escribir, leer es algo de lo poco que podemos hacer en contra de la estupidez...

Ya no vivimos en la era de la divinización del poeta, de la sacralización de la poesía. Ahora se escribe desde la cotidianidad de cada quien, desde la realidad de cada uno. La poesía radica hoy en un discurso más directo y personal, en la plaza pública, en las redes sociales, en la

democracia de las palabras. ¿Cómo la vives tú? ¿Cómo la difundes al mundo?
Ahí donde los ángeles temen asomar sus alas, el poeta se lanza al abismo. El poeta se sumerge en la existencia y observa su destino, luego escribe y ofrece testimonio sobre él. Si es posible el poema es posible la vida, y en la vida se encuentran los múltiples libros que he publicado, no en las mal llamadas redes sociales.

En una sociedad como la nuestra, tan pragmática, tan consumista, plena de modas efímeras, ¿aún hay espacio para la poesía o ésta sigue siendo una actividad minoritaria, un culto académico, una secta protegida institucionalmente, pero sin repercusiones en la sociedad en general? ¿Con qué clase de interlocutores cuenta tu poesía? ¿A quién se dirige aparte de ti mismo o del círculo que la frecuenta y practica como creación literaria?
Como comento con anterioridad, estos ensayos poéticos —en lo que se ha transformado mi poética— no corresponden a una literatura o a un periodismo de carácter canónico, vil y oficial, donde los ciudadanos ponen la sangre, es decir su abnegada cuota de delirios, y los diarios sus obstinadas lágrimas, para que los intereses de las empresas consuelan esos lloriqueos a través de apoyos económicos y políticos, "capitales", sino a una libre escritura de comunicación narrativa, donde lo idílico abandera el estilo en la categoría de lo formal, permitiendo que la no ficción despliegue un mapa literario en el cual la existencia aparezca como experiencia, es decir como cosa viva, creíble, aceptable, posible y, desde luego, comprobable en su rasgo existencial. Es una mirada personal de

lo colectivo, una visión informada, no deudora del dato duro, que los periódicos ingleses dan a llamar "The Optic", periodismo de perspectiva, que antepone lo verosímil, además del color y su espectro de belleza, su poesía y sus metáforas, al horror de la verdad oficial y sus absolutos.

Martha Nélida Ruiz

¿Qué te llevó a la escritura poética?
Comencé a los siete años. Me gustaba construir palabras, combinarlas, me gustan mucho los sonidos, la creación de imágenes diferentes. La poesía que venía en los libros de texto me gustaba bastante, todavía recuerdo algunos de esos poemas.

¿Qué te hizo poeta?
No lo sé, quizá esa búsqueda de construir con muy poco (palabras llenas de sonido) la necesidad de experimentar y de hablar mi mundo de una manera original y "misteriosa".

De tus primeros versos a los actuales, ¿qué ha cambiado en tu forma de escribirlos hoy en día?
Cuando era niña escribía con rima y era muy cuidadosa de las "reglas"; usaba palabras sofisticadas, rimbombantes y pasadas de moda. Después, de adolescente, me fui soltando, pero seguía utilizando palabras abarcadoras y modernas. En realidad es que hablo con muchas palabras que me doy cuenta la gente no utiliza a menudo, pero no es afectación en absoluto. Mis padres, especialmente mi mamá, hablan así; además, desde los 6 años quedé fascinada con la lectura y todavía recuerdo pasajes del *Cantar del mío Cid*. Después de los 18 años comencé a desarrollar una gran contención al mismo tiempo que me atreví a ser más libre, aunque suene paradójico. Contención para no desbordarse, para no dejar que mi voz anule a la

voz poética, para no hablar de más y saber cuándo parar. Y, por otro lado, libertad para escoger las palabras, la medida, el ritmo de mi respiración que es el ritmo mismo del poema.

¿Cuál es tu relación con el lenguaje poético, con lo que quieres decir a través de tu poesía?
Es una relación de respeto y fascinación, como ya lo dije, me apasionan las palabras y el sin fin de posibilidades que representan. Escribo prosa, ensayo, artículos científicos, historias, pero la poesía es especial para mí, es mi primer camino, el agua en la que nado, la arena que hipnotiza y se reacomoda a cada instante.

Escribes poesía, ¿para qué?
Para expresar mis mundos, dar cuenta de las profundidades de mi tiempo, sus retos, mis tribulaciones y mi comprensión de mi misma como ser múltiple y rizomático.

¿Para quién?
Para el lector, para quien hace suyas mis palabras y las enriquece con su propia experiencia y su propio camino en el tiempo. Después para mí.

¿Desde qué perspectiva lo haces: canónica o marginal, central o periférica, tradicional o contemporánea?
Lo hago desde las orillas, desde los bordes, desde las veredas sinuosas, desde el farallón, el desierto y la roca del tiempo en donde se estrella la roca en miles de figuras y construcciones de espuma.

En todo caso, ¿qué clase de poeta eres según tu propio criterio? Austera, solitaria, sin autocomplacencias, filosófica, intensa.

¿Cómo defines tu obra poética en el contexto de la poesía bajacaliforniana, mexicana, actual?
Como forastera, atemporal, independiente, desterrada, cosmopolita.

Frente a otros géneros literarios, como la narrativa o el ensayo, la poesía en Baja California ¿qué da a sus lectores?
Frescura, el mundo de la frontera es ese mundo de lo nuevo, de lo posible, de lo inesperado.

¿Qué aporta a la fiesta de la palabra?
Yo creo que cierta originalidad e innovación, el imaginario y el lenguaje de Baja California es un sinfín de combinaciones de tradiciones, juegos lingüísticos, acentos y hasta cosmovisiones, eso lo vuelve "extraño" pero yo diría que le da también riqueza y fluidez.

¿Qué temas domina?
Los urbanos y contemporáneos, las contradicciones, los sueños estrellados en las múltiples fronteras, los caminos y puentes y túneles por los que se conecta el poeta con el mundo.

¿Qué lenguajes alienta?
Los lenguajes vivos e híbridos de la frontera con Estados Unidos.

En términos de libertad expresiva, de experimentación verbal, de rigor imaginativo, ¿cómo ves la situación de la poesía bajacaliforniana del siglo XXI?
Me apena mucho decirlo, pero no tengo una opinión fuerte y suficientemente sólida como para poder hablar con el mínimo de autoridad al respecto. Me falta lectura y conexión con la poesía y los creadores baja californianos.

¿Qué le falta y qué le sobra?
No lo sé. Quizá le sobra contemporaneidad y le falta erudición.

¿Cómo te ubicas en ella?
Sinceramente fuera. Yo salí muy chica de Baja California, aunque gané juegos florales dos veces, a los quince y dieciséis años, realmente todos los libros los he publicado en la Ciudad de México. Algunos poemas del primer libro, *Espejo de Sombras*, son poemas que escribí en mi adolescencia en Tijuana, pero la mayoría de mi poesía la he escrito en todas partes del mundo, sobre todo en la Ciudad de México. No estoy conectada con la inmensa mayoría de los autores bajacalifornianos, pero a los que conozco los admiro y respeto profundamente. Además, creo que este desconocimiento es recíproco, sé que no muchas veces he sido incluida en antologías de poesía bajacaliforniana a pesar de haber escrito 5 libros de poesía y de que siempre he dicho que nací y crecí en Tijuana y mis poemas reflejan los paisajes y colores de nuestro estado. Inclusive al hablar en México a menudo me lanzan la incómoda pregunta: ¿De dónde eres?, seguida de: Tienes un acento... ¿eres norteña? A veces, incluso, me preguntan

de qué país soy. Pero cuando estoy en Tijuana me preguntan lo mismo o me acusan de "chilanga". O sea, soy de mi propio mundo, entre mundos, y hablo mi propio español, ¡con mi propio acento híbrido!

Escribir como nativo o residente del norte del país, de la frontera incluso, ¿en qué sentido condiciona tu escritura?
Soy lo que soy por esos primeros pasos en que aprendí a reconocerme como fronteriza, distinta a los estadounidenses, pero también distinta a los mexicanos del centro y del Sur. También implica una cierta responsabilidad como de cuidar y defender el lenguaje, pero también la identidad cultural no sólo mexicana sino latinoamericana e incluso iberoamericana.

¿De qué forma reaccionas a esta realidad: evadiéndola, confrontándola, asumiéndola como propia?
La asumo como propia, más que nada en un sentido ontológico, te define como lo que eres y desde donde ves las cosas, moldea tu cosmopolitanismo.

¿Qué diferencias hay entre escribir poesía en Baja California o fuera de Baja California?
Como decía, la inmensa mayoría de mi poesía la he escrito fuera de Baja California y quizá la diferencia sea que lo hago desde la rememoración de mi infancia, los pasajes del desierto que siempre me acompaña, aun en las grandes ciudades en las que paso mucho tiempo como Londres y en las que me pierdo fascinada con los rascacielos, las tiendas, los museos los parques, los restaurantes de

todas partes del mundo como la gente con a que me cru-
zo en sus calles. Me encantan las grandes ciudades cosmopolitas, soy absolutamente urbana, pero estoy aferrada
a mi desierto que le da a mi poesía una condición atemporal y onírica de manera natural. La coloca en un mundo paralelo de cierto modo, en el que habitan las gaviotas
que veía en el recreo, los cirios, el leve olor a mar, las acei-
tunas y los dátiles con los que jugaba de niña a la matate-
na y a las "comiditas". Mi Baja California quizá no existe fuera de mi poesía.

**¿Las distancias ayudan a comprender mejor tus propios
orígenes, a entender mejor los lazos afectivos, sensibles,
conceptuales que te unen a la matria peninsular?**
Sí, por supuesto, pero no sólo los lazos afectivos, también
te vuelve más crítico. Eres tú, y al mismo tiempo, eres el
otro, ¡un juego imposible de espejos!

**De tus libros publicados, ¿cuál es el que consideras sea
el más fiel a tu experiencia vital, a tus búsquedas creativas y por qué?**
El que está por salir, *Después del Incendio*. En él, el paisaje desértico se extiende al urbano por primera vez, está
escrito en todos los continentes, tiene la visión sociológi-
ca desde la que escribo mis ensayos y doy mis conferen-
cias, es más libre y experimental y aunque es cosmopolita también recupera la poesía de Netzahualcóyotl, es mucho más crítica y está escrita desde la posmodernidad,
no abandona ese medio tono introspectivo que esta pre-
senté en toda mi poesía, pero se atreve a llamar las cosas
por su nombre y a atraer la mirada humana hacia nuestro

mundo y sus problemas marcado por la injusticia, la des-
igualdad, la falta de solidaridad y la soledad.

**¿Cómo ves a la poesía que se hace en la frontera norte,
en Baja California, específicamente?**
Vital.

**¿Qué poetas de la entidad han aportado obras significa-
tivas y cuáles han sido sus aportaciones fundamentales
a la lírica nacional?**
Gabriel Trujillo, Elizabeth Cazessús, aportan una voz
poética inteligente, actual, fresca y sin afectaciones.

**¿Qué tendencias predominan hoy en día en la poesía ba-
jacaliforniana contemporánea?**
¡Nuevamente, me declaro ignorante!

**¿Hay estudios sobre tu obra y si no hay qué impacto tie-
ne la falta de un aparato crítico alrededor de la práctica
poética de un poeta como tú?**
Sí hay unos pocos, creo, de no bajacalifornianos; ¡he visto reseñas en internet que algún vivo vende por 5 dólares!
En realidad, hay más estudios y referencias de mis ensayos, pero sobre todo en Brasil. ¡Tampoco hay un impacto para el mundo! Escribo para quien me lee. En la vida
he recibido las mejores críticas de los auténticos lectores,
de los lectores que la crítica ni imagina que existan: un
bolero del parque Teniente Guerrero tenía uno de mis libros, ofreciendo a sus clientes la lectura del mismo –en
vez de periódicos o revistas– mientras se boleaban, y les
decía: ¡Éste es mi favorito! ¡Una mesera, en San Ysidro,

de unos veinte años, me reconoció en una cafetería y me pidió que le firmara uno de mis libros que traía consigo a cambio de la cena! Un músico de Guadalajara me escribió al correo electrónico preguntando si yo era la poeta de los espejos y me dijo que era su poeta favorita y quería musicalizar uno de mis poemas. Un grupo de jóvenes punk marginales en la conservadora ciudad de Querétaro fue a mi presentación un sábado en la noche, en lugar de –en sus palabras– "estar tomando y de fiesta porque les gusta la belleza de la palabra", y compraron mi libro entre todos. Ese es el impacto que importa y que me hace feliz.

Las peculiaridades de la poesía de la entidad –clima inhóspito, urbes con distinta personalidad, el espacio fronterizo, la escasez de publicaciones–, ¿cómo influyen en la escritura poética?
La vuelven innovadora, arriesgada y profunda, como ya lo he dicho, lo inhóspito invita a ser poblado con nuestros imaginarios, la escasez de publicaciones promueve la autogestión y la creación y publicación independiente y colectiva, la dificultad y lejanía nos lleva a la reflexión más profunda.

Ya no vivimos en la era de la divinización del poeta, de la sacralización de la poesía. Ahora se escribe desde la cotidianidad de cada quien, desde la realidad de cada uno. La poesía radica hoy en un discurso más directo y personal, en la plaza pública, en las redes sociales, en la democracia de las palabras. ¿Cómo la vives tú?

Precisamente así, a ras del suelo. Sin afectaciones, como cualquier persona que es hábil para algo especial, asumiendo mis limitaciones también.

¿Cómo la difundes al mundo?
De la manera tradicional. Básicamente, me gustan los libros de papel. Aunque los escribo, principalmente, en mi teléfono celular (como las respuestas de esta entrevista) o a veces en pedazos de papel que luego procuro no perder.

En una sociedad como la nuestra, tan pragmática, tan consumista, plena de modas efímeras, ¿aún hay espacio para la poesía o ésta sigue siendo una actividad minoritaria, un culto académico, una secta protegida institucionalmente, pero sin repercusiones en la sociedad en general?
¡Hoy más que nunca hay lugar para la poesía! El Rap es poesía insolente, las ciudades de todo el mundo están llenas de poetas callejeros, los jóvenes aprenden a conocer, disfrutar, romper, recrear las palabras y descubren la música y vitalidad que esconden cuando las combinas de manera ingeniosa y original. La poesía sobrevive en la academia, pero se vuelve más terrenal, más ligera, más experimental y directa. Los círculos poéticos siguen siendo sectarios y tienen ese esnobismo que me molesta muchísimo, me parece la máscara perfecta de la vacuidad, de lo superfluo. Me molesta el disfraz con que muchos de sus miembros se visten. No frecuento esos círculos y nunca los he frecuentado. Tengo amigos poetas y nos vemos en presentaciones, en reuniones y en cafés de vez en cuando pues viajo mucho y tengo mi mundo de amigos artistas,

mi mundo de sociólogos, mi mundo de "mamás", mi mundo de universitarios y todos son importantes y enriquecedores, de todos ellos se nutre la poesía que escribo.

¿Con qué clase de interlocutores cuenta tu poesía?
Escribo en la calle para la gente que he descrito, y ellos y yo, espero, tratamos de construir un mejor mundo, lleno de sonidos y significados, un mundo sencillo pero complejo, profundo, múltiple y rizomático en el que no hay una diferencia real entre el que escribe y el que lee.

¿A quién se dirige aparte de ti misma o del círculo que la frecuenta y practica como creación literaria?
Como lo dije ya, ¡a todo el que quiera leerla!

JORGE ORTEGA

¿Qué te llevó a la escritura poética? ¿Qué te hizo poeta? De tus primeros versos a los actuales, ¿qué ha cambiado en tu forma de escribirlos? Hoy en día, ¿cuál es tu relación con el lenguaje poético, con lo que quieres decir a través de tu poesía?

Llegué a la poesía a través de la lectura y de la música. Eso me otorgó una noción a un tiempo lúdica y formal de lo poético antes de comenzar a escribir, algo que empezó a suceder con naturalidad a partir de los 16, aunque publiqué mi primer libro de poemas a los 20, juntando textos incubados entre la mayoría de edad y la veintena. Esto y, por supuesto, las circunstancias de la vida, me encauzaron a rastrear y hallar en la poesía un dialecto personal, sintético y evocador que me permitió formular ciertas experiencias de carácter afectivo e intelectual que de pronto sentí la necesidad de transmitir. Era en parte la ansiedad de definición frente al mundo que persigue a los adolescentes y los jóvenes. Algunos descubren ahí su vocación sin tenerlo claro. Creo que fue mi situación. Y llevo ya más de un cuarto de siglo en el camino, un lapso en el cual no ha variado sustancialmente mi manera de asumir la poesía como un llamado y un oficio insobornables, pero confieso que los años me han conducido a refinar y ahondar más los procesos de búsqueda interior que pautan la maduración de una obra. El poeta no es una máquina de hacer versos. Las mutaciones o reorientaciones que denota su quehacer responden no sólo a un criterio literario sino también humano. Si mi enunciación poética ha permanecido fiel a sí, alineada en torno de un ejercicio crítico del lenguaje, la secuencia de mi obra presenta a estas alturas un prisma de avatares temáticos –metaliteratura, cotidianidad, ficción lírica, culturalismo, pensamiento, ciudad y desierto, vacío y contemplación, pasión o erotismo, viaje y sensación de lo extraño, fábula de los elementos, duración, materia, espacio– que aluden a los vaivenes de una existencia. Por lo demás, como mencioné, tras dos décadas y cacho de trayecto mi poesía ha ido ganando en profundidad y depuración sin renunciar al desafío verbal.

Escribes poesía, ¿para qué?, ¿para quién? ¿Desde qué perspectiva lo haces: canónica o marginal, central o periférica, tradicional o contemporánea? En todo caso, ¿qué clase de poeta eres según tu propio criterio? ¿Cómo defines tu obra poética en el contexto de la poesía bajacaliforniana, mexicana, actual?
Yo no diría que trabajo en función de esas dicotomías reduccionistas que en el fondo son más relativas que concluyentes. Por ejemplo, producto del bolañismo lírico o narrativo, el mercado editorial y el gusto en boga tienen poco más de un decenio privilegiando lo marginal y periférico, que se han vuelto lo canónico, lo central, lo contemporáneo, y, por ende, lo académico, porque es lo que confiere a las instituciones educativas y culturales el añorado toque de actualidad informativa. De esta suerte, como poeta no me defino en virtud de una escuela o una etiqueta, pero los especialistas han advertido en mi escritura los rasgos del neobarroco latinoamericano, una corriente que me atrevería más bien a denominar

Jorge Ortega

neoculterana. Es verdad que leí con fruición a los poetas del Siglo de Oro y a sus padres, los clásicos griegos y latinos, pero igual me reconozco en los románticos alemanes, los simbolistas franceses y los modernistas de Hispanoamérica, los Contemporáneos y la Generación del 27, los hermetistas italianos y las vanguardias de ambas orillas del Atlántico, la poesía árabe medieval y los poetas de la dinastía Tang, el cromatismo de Nezahualcóyotl y los cantares de Salomón. En resumen, me considero un autor de lengua española de formación universal plantado en la frontera norte de México y en quien dialogan sutilmente los cuatro puntos cardinales de la tradición milenaria y la moderna. Mis intrigas de lector me han facilitado disponer, así, de una cultura literaria sin límites epocales o geográficos, estilísticos o idiomáticos, lo que me impide esgrimir las evidencias que me circunscriban a un cuadrante específico de lo prestigioso, que es hoy lo marginal, o de lo contracultural, que es hoy lo prestigioso. Por ello, apegado a mis apuestas e indagaciones, he navegado a contracorriente de las modas, en solitario, escribiendo en principio para mí, como mandato de supervivencia, y para un lector exigente que comprenda la poesía como una tarea no enteramente gratuita ni accidental sino verificada con rigor, conocimiento y entrega, aunque orquestada, sin duda, por la sabiduría de la intuición y el azar objetivo.

Frente a otros géneros literarios, como la narrativa o el ensayo, la poesía en Baja California ¿qué da a sus lectores?, ¿qué aporta a la fiesta de la palabra?, ¿qué temas domina?, ¿qué lenguajes alienta?

Gabriel Trujillo Muñoz

Independientemente de la aptitud de las individualidades, la • poesía de Baja California ofrece de entrada un imaginario inspirado en una realidad singular: localización y ecosistema, variables que combinadas han dado pie a un sugestivo crisol de particularidades sociológicas y estéticas. La frontera y la conjunción del mar, la montaña y el yermo han generado, repito, una sociología y una estética que han incidido en la gestación de dos líneas discursivas muy regionales, la de la naturaleza y la del ámbito urbano. Lo citadino, lo reflexivo, lo melancólico, lo místico y lo voluptuoso están simultáneamente asociados a tales ejes. Y así, entre lo coloquial y lo abstracto, lo figurativo y lo conceptual, lo performativo y lo textual, la poesía de Baja California brinda al lector un mural motivos y de prácticas que abarca, con distintos niveles de intensidad, la lotería de la calle, el murmullo de la celda y los suspiros del aposento. No obstante, se ha observado recientemente, entre chicos y grandes, un viraje hacia el histrionismo y la oralidad de la poesía, aunque por lo general con resultados desafortunados, salvo excepciones. La intención sería positiva y vendría a espolear el pulso de la poesía en la comarca, pero es primordial anteponer todavía más la autocrítica y moderar la efusión panfletaria y el lugar común de la querella o el grito a fin de avanzar hacia una ejecución efectiva y contundente de esa vertiente que no pierda de vista la solvencia del poema o el texto, cimiento de la escenificación.

En términos de libertad expresiva, de experimentación verbal, de rigor imaginativo, ¿cómo ves la situación de

Jorge Ortega

la poesía bajacaliforniana del siglo XXI? ¿Qué le falta y
qué le sobra? ¿Cómo te ubicas en ella?
Hay un sector de la poesía bajacaliforniana al que le
sobra palabra y le falta rigor, le sobra facilismo y le falta
tensión, le sobra trivialidad y le falta agudeza, le sobra
conformismo y le falta ambición, le sobra comodidad
y le falta ingenio, le sobra discontinuidad y le falta
consistencia, le sobra insipidez y le falta temple. Esto
apelando al cúmulo de lo que se escribe sin detenernos
en aquello que pudiera merecer la pena leer, presumir
fuera de la entidad o de México y conservar para armar
un canon, por lacónico que resultase. Si por un lado se
echa de menos una poesía de mayor riesgo procedimental
y lingüístico, por el otro hay que admitir que el compás
se ha ido abriendo a la procacidad, la dilución del tabú, la
disensión ideológica, sexual, artística. Sin embargo, hay
una espontaneidad mal entendida que lastra a muchos
poetas emergentes, sobre todo, y aclaro que hay también
entre éstos un par que han conseguido equilibrar la
balanza y labrarse una voz a un tiempo fresca, estricta y
vigorosa. Hay, pues, libertad expresiva, pero se carece de
la audacia de una imaginación original y novedosa que la
faculte para alzar el vuelo. Aunque reconozco sus mejores
aciertos y he escrito sobre ella, yo me ubicaría al margen
de la poesía que intenta continuamente trasladar, intacta,
la realidad al texto como una tarea de mimetización,
dado que para mí la poesía es, de acuerdo, reflejo de una
vivencia, pero, en la medida que se cumple a expensas
del alfabeto, constituye una provocación a la imaginación
y un reto por la expresión inusitada que aspire a
perpetuar la irrepetibilidad de esa vivencia; en efecto,

una inmersión en el vocabulario y una indagación de su capacidad de elocuencia y comunicación, de revelación y silenciamiento.

Escribir como nativo o residente del norte del país, de la frontera incluso, ¿en qué sentido condiciona tu escritura, ¿de qué forma reaccionas a esta realidad: evadiéndola, confrontándola, asumiéndola como propia?

Algunos poemas de mi primera época hacen eco de la marca-región, la frontera, abordada de modo explícito o tangencial y distorsionada con el afán casi deportivo de urdir una mitología propia. Pero no es una de mis constantes ni tampoco un contrapunto. Los que crecimos ahí vivimos y vimos con tal normalidad ese diorama que lo acabamos anexando a nuestros hábitos, el día a día, no a la literatura, articulada de algo más consciente y obsesivo. Mientras que durante un período la frontera se transformó para los fotógrafos y artistas visuales en una retórica, un tema en sí, una cuestión reiterativa y recurrente, para mí devino al paso de los años en una cosa anecdótica: no necesitaba escribir sobre la frontera porque ya la portaba adentro o afuera, en el corazón o la piel, en la manera de ser y concebir mi estar, tan así que los sitios en que me siento como en casa son ciudades donde impera la biculturalidad o la multiculturalidad, centros de reunión de gente procedente de distintos lugares que confluye por andares del destino para engendrar un incitante mosaico sociocultural y avizorar la posibilidad de un futuro común en la complementariedad de las diferencias y la suma de las coincidencias. Es la historia de Baja California, donde todo va a dar, donde teóricamente desemboca la marea de

la América hispana y mesoamericana, jaspeada de mundo
y que principia en Tierra del Fuego, para entreverarse con
la América anglosajona, no menos plural que la anterior.
En síntesis, no evado ni confronto la frontera, sino que la
transpiro, y no de un modo programático, en el terreno de
la creación, sino en los rituales colectivos, las costumbres,
las expectativas personales.

¿Qué diferencias hay entre escribir poesía en Baja California o fuera de Baja California? ¿Las distancias ayudan a comprender mejor tus propios orígenes, a entender mejor los lazos afectivos, sensibles, conceptuales que te unen a la matria peninsular?
He desarrollado casi toda mi obra poética en Baja
California, excepto mis dos títulos recientes, *Devoción
por la piedra* y *Guía de forasteros*, escritos en Barcelona,
donde viví, estudié, pensé y dispuse mi curiosidad a otras
sociedades, culturas, tradiciones literarias y experiencias,
además de la catalana. La salida de México proyectó
mi trabajo, dotándolo de mayor visibilidad. Irme fue
la mejor decisión que pude haber tomado: publiqué en
la editorial Hiperión y reseñaron mi libro en *Babelia,
Crítica, La Estafeta del Viento, Ínsula, Letras Libres*; empecé
a intervenir en revistas de ultramar con poemas, reseñas
y ensayos, tales como *Quimera* y *Revista de Occidente*;
participé en festivales internacionales que supusieron el
umbral de una conversación con poetas contemporáneos
de otras latitudes cuya obra admiro y que han venido
a nutrir mi noción de lo poético. No podía quejarme.
Tomar distancia de la "matria peninsular" fue, por ende,
benéfico. Nunca la eché en falta. Había roto el yugo del

determinismo o la fatalidad geográfica, había desafiado la inercia del origen y su dictadura de imperativos. Fui en busca de otro yo. La ausencia de Baja California o de México, su lejanía, me orilló a reinventarme. Al regresar me percaté de que era tan foráneo como los foráneos. Aprendí a ver mi tierra con una doble mirada: la de un sano escepticismo hacia la presunción, la falsa novedad y ese fanatismo regionalista que es una forma de fundamentalismo; y, por lo tanto, la del entusiasmo por el talento laborioso y discreto y las nuevas propuestas de la literatura y el arte que, ávidas de mundo y de comunión con las antípodas, implicaran una perspectiva universal de los códigos locales.

De tus libros publicados, ¿cuál es el que consideras sea el más fiel a tu experiencia vital, a tus búsquedas creativas y por qué?
Hay más de uno: *Crepitaciones de junio* (1992), *Cuaderno carmesí* (1997), *Ajedrez de polvo* (2003), *Estado del tiempo* (2005), *Devoción por la piedra* (2011) y *Guía de forasteros* (2014). El primero simboliza mi definición vocacional, la de convertirme públicamente en un poeta, ya que se trata de una *ópera prima*; el segundo porque fue mi primer libro publicado a escala nacional, en el Fondo Editorial Tierra Adentro que dio a conocer muchas voces de mi generación, de la precedente, y aún de las del presente; el tercero constituye mi primera colección de poemas aparecida en el extranjero, concretamente en el sello tsé-tsé, de Argentina, y en la serie Archipiélago que reúne a estimados poetas como José Kozer o Mercedes Roffé; el cuarto fue el primer libro que publiqué fuera de América,

allende el océano, en España, debido al Premio de Poesía
Hiperión; el quinto es un volumen escrito completamente
allá y significó mi primer premio internacional, el Sabines
de 2010; y el sexto, compuesto entre Cataluña y Baja
California, representa mi primer libro que ha alcanzado
en México un tiraje de dos mil ejemplares y que coeditado
por Bonobos y el Consejo Nacional para la Cultura y
las Artes ha asegurado su distribución a través de las
librerías Educal y ferias del libro de México y el exterior,
lo que ha potenciado el acercamiento de mi poesía a un
amplio número de lectores. Más allá de estos detalles
extraescriturales, cada uno de estos títulos encarna una
coyuntura que a la par confirma y decanta los afanes de
mi poesía, agotando las inquietudes y preocupaciones
que he auspiciado en distintas etapas de mi existencia
y perfilándola hacia ciertos inexplorados abismos. Cada
uno condensa la consolidación y la mudanza de una
época biológica y creativa. *Devoción por la piedra* y *Guía
de forasteros* inauguraron desde luego otra estación de mi
poesía.

**¿Cómo ves a la poesía que se hace en la frontera norte,
en Baja California específicamente?**
Prefiero hablar de la poesía de las entidades del norte
que de las ciudades fronterizas, pues son cosas diferentes.
Es un criterio más enriquecedor e incluyente, dado que
invita a incorporar a la visión de la poesía del norte a
los poetas del interior de dichas entidades, pese a que no
residan sobre las poblaciones de la frontera con los Estados
Unidos. En este sentido, veo una envidiable constelación
de poetas de múltiples edades y estilos que, sin moverse

de sus ciudades, tal vez se hallan actualmente escribiendo la mejor poesía de México. Pienso en la alta calidad de la poesía escrita hoy en Nuevo León, Coahuila, Chihuahua y la península. En cuanto a la de Baja California, destacaría su diversidad, su denodado esfuerzo de autopromoción que ha cristalizado últimamente en un auge de ediciones de autor o de pequeñas editoriales independientes, entre las que se encuentran las famosas cartoneras, iniciativas que se han visto acompañadas de la organización de encuentros, ciclos o mesas de lectura, evidencia de que la creación poética y su relación con el público son una fuerza viva y activa. Sin embargo, como lo apunté, líneas atrás, en mi respuesta a otra pregunta, es indispensable volver siempre al texto y al estudio, centrar las energías en la confección del poema, afianzar o incrementar el bagaje literario, discutir las novedades editoriales, revisar a los modelos de antaño y de hogaño, lo que en parte se consigue a través de los talleres, las tertulias y los cursos de formación encabezados preferentemente por los maestros, o sea, los poetas de probada solvencia, quienes sin eludir la piedra de toque del sentido crítico se espera que esparzan con generosidad las semillas de la pericia y el instinto poéticos. Lo restante vendrá por añadidura.

¿Qué poetas de la entidad han aportado obras significativas y cuáles han sido sus aportaciones fundamentales a la lírica nacional?
Para mí la poesía de calidad y vigencia en Baja California comienza a hacerse en Tijuana en la década de 1970. Aludo al impacto emblemático, de parteaguas, que tendrá a la postre el círculo Voz de Amerindia fundado por don

Rubén Vizcaíno Valencia, patriarca de la promoción cultural en el estado. Lo que acontece a partir de ahí es lo que vale la pena antologar y propagar más allá de los confines de la región. El oficio de escribir poesía se profesionaliza. Los poetas abren los ojos y abandonan la idea de la poesía, la literatura o las humanidades como una casualidad, un pasatiempo o una actividad secundaria para de una forma u otra procurar subsistir de ello. Pienso en poetas nacidos, casi en su totalidad, de 1940 en adelante y que, siendo de casa o viniendo de fuera, se hayan quedado o no en Baja California, empiezan desde los setenta a producir, cada cual en su momento, una poesía que prefigura la tentativa no ya de un censo ni un índice sino de un corpus, al que me suscribo: Salvador Michel Cobián, Juan Martínez, Francisco Morales, Antonio Mejía de la Garza, Estela Alicia López Lomas, Benito Gámez, María Edma Gómez, Ana María Fernández, Ruth Vargas, Jorge Ruiz Dueñas, Gloria Ortiz, Enrique Trejo Moreno, José Vicente Anaya, Víctor Soto Ferrel, Jesús Raúl Rincón Meza, Olga Gutiérrez García, Carlos Mongar, Ernesto Trejo, Roberto Castillo, Luis Cortés Bargalló, Eduardo Hurtado, Alfonso René Gutiérrez, Rosina Conde, Edmundo Lizardi, Daniel Sada, Tomás Calvillo, Lauro Acevedo, Tomás Di Bella, Gilberto Zúñiga, Yvonne Arballo, Raúl Navejas, Manuel Acuña Borbolla, Aglae Margalli, Víctor Hugo Limón, Gabriel Trujillo Muñoz, Eduardo Arellano Elías, José Javier Villarreal, Mara Longoria, Elizabeth Cazessús, Fernando Vizcarra, Alfonso García Cortez, Rael Salvador, Manuel Romero, Flora Calderón, Rosa Espinoza, Noé Carrillo, Carlos Martínez Villanueva, Elizabeth Algrávez,

Amaranta Caballero, Raúl Fernando Linares, Carlos Adolfo Gutiérrez Vidal, Basilio Martínez, Teresa Avedoy, Omar Pimienta, Paty Blake, Yohanna Jaramillo, Luis Gastélum, Patricia Binome. Oh paradoja: los poetas de Baja California son contemporáneos de su tradición. Diez de estos nombres tendrían resonancia nacional y sólo tres o cuatro serían imprescindibles en un recuento selectivo de su correspondiente generación en México. Su aportación: la de escribir con tenacidad y osadía una poesía que al distinguirse de los lenguajes dominantes y sortear las modas de la poesía mexicana, o de su punto medio, se torna notable y atractiva.

¿Qué tendencias predominan hoy en día en la poesía bajacaliforniana contemporánea? ¿Hay estudios sobre tu obra y si no hay qué impacto tiene la falta de un aparato crítico alrededor de la práctica poética de un poeta como tú?
Yo diría que priman dos tendencias muy claras: la de una poesía literaria ceñida a la escritura y al papel y que concibe el libro y la lectura como su escaparate de inducción, y otra que pretende migrar de la letra al gesto, del papel a la representación escénica, poniendo en segundo plano el texto y, en consecuencia, su factura. Digamos que hay una bifurcación entre la literatura y la performance, modalidad a la que han estado transitando sobre todo los poetas más jóvenes y uno que otro de mediana edad. Para algunos de éstos la poesía ha pasado de ser literaria a ser actoral y dramática, mientras que otros gravitan equidistantes a la perennidad de la poesía escrita y la de su eventual teatralización, distinguiendo entre la supremacía

del texto y su probable escenificación, un hecho accesorio
sin el cual el poema escrito debe valerse por sí mismo. ¿Y
estudios sobre mi obra? De entrada me siento complacido
de que hasta ahora poetas, críticos o investigadores tan
disímbolos como Francisco Alcaraz, Eduardo Arellano
Elías, Hernán Bravo Varela, Alí Calderón, Vicente
Cervera Salinas, Luis Vicente de Aguinaga, Francisco
Díaz de Castro, Antonio Deltoro, Jorge Fernández
Granados, Alfonso René Gutiérrez, Javier Fernández
Aceves, Javier Hernández Quezada, David Huerta,
Eduardo Hurtado, Manuel Iris, Mijail Lamas, Reynaldo
Jiménez, Manuel Rico, Roberto Rico, Anthony Seidman,
Víctor Soto Ferrel, Helena Usandizaga, Heriberto Yépez,
entre otros, hayan dedicado artículos, reseñas o ensayos
a mi poesía en general o a un libro mío en particular. No
obstante, considero que una de las asignaturas pendientes
en el contexto bajacaliforniano es la mínima, hasta nula,
cultura de análisis o de la crítica en poesía, tanto en la
academia como en el gremio, o sea, tanto en los profesores,
estudiantes y egresados de letras como en los poetas, que
semejan estar únicamente prestos a escribir poesía y no a
elaborar, redactar y publicar sistemáticamente un juicio
crítico o un balance analítico sobre lo que leen.

**Las peculiaridades de la poesía de la entidad —clima
inhóspito, urbes con distinta personalidad, el espacio
fronterizo, la escasez de publicaciones—, ¿cómo influyen en la escritura poética?**
El aislamiento geográfico e interurbano de Baja
California y sus ciudades permite a los poetas trabajar
en paz, lejos del mundanal ruido de los grandes centros

de irradiación cultural del sur del país, confiriéndoles
ocasión y paciencia para construir un libro, desplegar
una obra, explorar otros géneros; bueno, fue y es mi
caso: después de escribir poemas me sobraban las horas y
entonces me consagré a pensar la poesía de los otros, mis
antecesores y mis contemporáneos, debutando así, a los
22 o 23, en el periodismo literario y la prosa ensayística.
La tecnología ha relativizado este panorama y cualquier
localidad de México está ahora conectada, como aldea
global, al mundanal ruido. Pero los poetas de Baja
California siguen operando por islas. Hay dispersión y
cada quien se dedica por su cuenta a cultivar su parcela
y a ingeniárselas como pueda. Aparecen galerías de arte,
colectivos de música y pintura, conjuntos de danza y
teatro, bandas de jazz, y los poetas se ven imposibilitados
de habilitar grupos de trabajo, cooperativas editoriales,
revistas, conversatorios públicos. Es un asunto de ego y
de índole cultural. De ego porque al no haber regularidad
en la renovación de las generaciones poéticas, los mismos
poetas, maduros y parcialmente reconocidos, acaban
por saturar los márgenes de maniobra con su respectivo
liderazgo. Y cultural porque los poetas tampoco están
habituados a gestionar de manera autónoma los recursos
y los instrumentos de estímulo y divulgación de su obra,
lo que restringe la probabilidad de interacción con los
demás para la consecución de acuerdos y alianzas de
beneficio mutuo. Quizá la promoción del arte y la cultura
necesita transitar de las instituciones a la sociedad civil.
Ya está ocurriendo, y no exclusivamente en la región sino
en el país en general.

Jorge Ortega

Ya no vivimos en la era de la divinización del poeta, de la sacralización de la poesía. Ahora se escribe desde la cotidianidad de cada quien, desde la realidad de cada uno. La poesía radica hoy en un discurso más directo y personal, en la plaza pública, en las redes sociales, en la democracia de las palabras. ¿Cómo la vives tú? ¿Cómo la difundes al mundo?

Trato de participar en cuanta lectura pública me sea posible y procuro ser un buen lector en voz alta de mis poemas, algo a lo que está obligado todo poeta, dado que siendo él mismo autor de sus poemas conoce mejor que ninguno su tono, su pulsión rítmica, su énfasis; nadie puede hipotéticamente vocalizarlos mejor que uno. Igual, dependiendo de la seriedad y el compromiso del proyecto, suelo aceptar cualquier invitación a publicar poemas sueltos en medios digitales o impresos de circulación local, regional, nacional o internacional. No discrimino ni me limito al radio de penetración de la publicación: el lector está en todas partes. También soy usuario de las redes sociales y aprovecho esa plataforma para reproducir en mi tribuna virtual las ligas que recogen colaboraciones mías, sean poemas, ensayos, artículos, entrevistas o reseñas, lo que facilita el contacto y la retroalimentación con colegas y cibernautas que se toman el tiempo de leerme y comentar la experiencia, ora para concordar, ora para discrepar.

En una sociedad como la nuestra, tan pragmática, tan consumista, plena de modas efímeras, ¿aún hay espacio para la poesía o ésta sigue siendo una actividad minoritaria, un culto académico, una secta protegida

207

institucionalmente, pero sin repercusiones en la sociedad en general? ¿Con qué clase de interlocutores cuenta tu poesía? ¿A quién se dirige aparte de ti mismo o del círculo que la frecuenta y practica como creación literaria? Aspiro a que mi poesía merezca la proximidad de un lector receptivo y hechizado que la conciba como una ofrenda de la condición humana y un acontecimiento del habla, un coágulo de emotividad y una materialización del lenguaje, una instancia de conocimiento y un relámpago de la palabra. Eso. Sean o no poetas. Sé lo que la crítica o los periodistas culturales opinan de mi trabajo porque tengo acceso a sus notas, sé lo que otros poetas cercanos piensan de él porque lo escriben o me lo confían; pero no lo que el lector anónimo que sin tratarme adquiere un libro mío o se topa con unos versos míos en internet. De modo que cuando recibo algún correo o algún mensaje de un remitente desconocido que se ha dado a la tarea de rastrear mi dirección electrónica o buscarme en Facebook y desea compartirme el testimonio de su contacto con mis poemas, se rompe el consabido mito de que al final los poetas escriben sólo para los poetas. El círculo se cierra. Y uno se percata de que hay vida para la poesía más allá de la poesía, de que hay un porvenir para la poesía más allá de los letrados, de que de que la poesía sobrevive a sí y trasciende el cerco de su propia dinámica para extender el sigiloso oleaje de su complicidad por encima de los entendidos y los sobrentendidos.

Raúl Fernando Linares

¿Qué te llevó a la escritura poética? ¿Qué te hizo poeta? De tus primeros versos a los actuales, ¿qué ha cambiado en tu forma de escribirlos? Hoy en día, ¿cuál es tu relación con el lenguaje poético, con lo que quieres decir a través de tu poesía?
Mi encuentro con la poesía fue tardío, por una parte, y errático, por otra. Cuando niño, en casa había unos cuantos libros con poemas, desde los *20 poemas de amor* de Neruda, hasta aquellas colecciones de poemas variopintos, concebidas para declamar en público; me refiero a aquellas ediciones económicas, muchas veces engrapadas, que incluían lo mismo el *Brindis del bohemio*, la *Chacha Micaila* o *Los motivos del lobo*. Aquellas selecciones eran bastante disparejas, pero eso lo sé ahora: en aquel momento representaban una curiosa oportunidad de fascinación, de encuentro con una forma rarísima de tratar el lenguaje, absolutamente ajena al habla de todos los días, pero curiosa, gratamente cargada de un garbo y de una sorprendente capacidad de atracción que en su momento me resultaba extrañamente atractiva. Durante algún tiempo en mi andar como lector de poesía, llegué a sentir algún menosprecio por aquellas ediciones encendidas o, peor aún, por su universo estilístico, ubicado casi siempre entre un romanticismo desvelado, un costumbrismo iluminado, o el más exultante modernismo. Hoy creo que aquellas ediciones cumplían con ciertas expectativas, que todavía existen, alrededor del discurso poético, y que en ningún caso su lectura podría ser calificada como

desafortunada o perniciosa: finalmente, queriendo o no, fueron los primeros acercamientos –quizá los únicos para algunos– a las propuestas de Darío, Nervo, López Velarde o Gutiérrez Nájera. Curiosamente, los poetas que prefiero de aquel momento –Lugones, Martí o Herrera y Reissig– difícilmente aparecían en aquellas antologías.

Escribes poesía, ¿para qué? ¿Para quién? ¿Desde qué perspectiva lo haces: canónica o marginal, central o periférica, tradicional o contemporánea? En todo caso, ¿qué clase de poeta eres según tu propio criterio? ¿Cómo defines tu obra poética en el contexto de la poesía bajacaliforniana, mexicana, actual?
Tal como entiendo el oficio de poeta, escribir es un asunto estrictamente hedonista. Escribo cuando y porque la poesía se convierte en un estímulo, a veces sutil, en otras poderoso, pero en todos los casos tentador, deseable. Creo que ese es el motor principal: la búsqueda del placer a través de las palabras, incluso cuando ese placer se encuentra en estado latente, disfrazado de otra cosa: de aprehensión, de pérdida, de maldición. Al final, creo que cualquier justificación es solamente eso: la racionalización de un impulso que tiene más que ver con el deseo que con la programación. En todo caso, aquella fiebre resulta perfectamente inútil sin el acicate del oficio y la determinación por crear.

Por esto mismo, y antes que nadie, escribo para mí: escribo lo que he leído, lo que escucho en la calle, lo que me asalta durante el mundo; para darle forma, para organizar o proponerle sentido a las cosas: para sacarles filo, para que corten.

No sé qué clase de poeta soy. Al redactar estas líneas, he ensayado distintos adjetivos, lo mismo que explicaciones largas, y todas me resultan impostadas, por una parte, y por lo mismo detestables. Cuando uno se clasifica, recurre a diversos métodos: por parentesco con lecturas recurrentes, por uso de clasificaciones que invariablemente fueron pensadas para otras realidades, por instinto gregario, por malevaje dictado por el ego; por un secreto –o declarado– deseo de pertenencia. En todos los casos, creo que es el ego quien clasifica, así es que hay que desconfiar de esos impulsos. El ego puede ser un buen escritor, un espléndido editor, pero es un pésimo crítico.

Frente a otros géneros literarios, como la narrativa o el ensayo, la poesía en Baja California ¿qué da a sus lectores?, ¿qué aporta a la fiesta de la palabra?, ¿qué temas domina?, ¿qué lenguajes alienta?
Creo que la poesía en Baja California –y esto no es distinto para otros géneros– vive un momento de crisis discursiva, de producción, de poetas y de lectores. Veo pocos poetas jóvenes, veo poetas más preocupados por asistir a eventos que por escribir o, peor aún, por leer. Veo una dispersión insana –ya que puede haber dispersión altamente productiva– que, al aislar, termina apelmazando. Veo eventos y convocatorias oxidados o descalibrados. Veo demasiada inercia. Veo un interés desproporcionado por la lectura de textos traducidos, en detrimento de la lectura de textos nacidos en español. ¿El resultado? Poemas que huelen a traducciones. Veo a la poesía embotada con pastillas para dormir. Me gustaría que despertara. Me gustaría despertarla.

No sé. Seguramente veo poco. Seguramente veo mal.

En términos de libertad expresiva, de experimentación verbal, de rigor imaginativo, ¿cómo ves la situación de la poesía bajacaliforniana del siglo XXI? ¿Qué le falta y qué le sobra? ¿Cómo te ubicas en ella?
Creo que la poesía en Baja California se encuentra en un momento de dispersión. Esto tiene que ver con sus poetas, con sus publicaciones, con sus procesos de socialización (publicaciones, promoción, eventos) e incluso con su escritura. No me resulta nada claro decidir —pues toda lectura es una decisión: no sólo decidimos qué leer: decidimos lo que es legible; decidimos la legibilidad misma— cuáles son las condicionantes retóricas, los procedimientos intencionados, las apuestas técnicas ganadas o perdidas de la poesía actual en la región. He leído publicadas obras indeciblemente torpes; he leído obra sin publicar que espero permanezca en esa condición; afortunadamente, he encontrado también obra espléndida en espera de publicación, y obra feliz y atinadamente publicada. Esto, claro, de acuerdo con mis criterios: no los mejores (¿o sí?), no los peores (¿o no?) pero al fin *mis* criterios. No encuentro filiaciones consistentes hacia alguna tradición, derroteros recurrentes o credos generacionales. El trabajo de los poetas, hoy, parece un ejercicio rigurosamente solitario, fatalmente solo; —por un momento escribí también asolado, pero me ha parecido una demasía—.

¿Cómo me ubico en esa realidad? Justamente así: solo. Esto no es, desde luego, una queja: la poesía es un oficio que se cocina en solitario, que requiere de fermentación aislada y termina cuajando en un *solo* a la manera de los primeros ejecutantes en una orquesta. La cuestión es que hay ocasiones —este momento, creo yo— en los que no hay orquesta, o coro, o acompañamiento. No creo que esto sea malo *per se*: puede serlo en la medida en que sirva de contrapeso a la sordera que frecuentemente acompaña al ego: a partir de que una buena acústica nos deja escuchar nuestras ejecuciones, con todo lo bueno y lo malo que tengan.

Por lo que respecta a la experimentación, uno de los motores que mueven eso que entiendo por poesía es la posibilidad de exploración en las otredades del lenguaje: la plasticidad de la gramática, el carácter intercambiable de sus categorías, el solecismo como estrategia significativa. Cuando menos, esas han sido mis búsquedas al día de hoy. No sé —afortunadamente— qué clase de poesía podría asaltarme en el futuro.

Sobre la poesía bajacaliforniana, quiero pensar, en todo caso, que nos encontramos en el preludio de algo; no sé de qué, pero de algo. Recuerdo entonces las palabras finales de *El guardagujas*, aquel cuento redondo y nutritivo de Arreola: "Al fondo del paisaje, la locomotora se acercaba como un ruidoso advenimiento". La poesía es esa locomotora que siempre está a punto de llegar; por eso nos mantiene en vilo; por eso le pertenecemos.

Escribir como nativo o residente del norte del país, de la frontera incluso, ¿en qué sentido condiciona tu escritura, ¿de qué forma reaccionas a esta realidad: evadiéndola, confrontándola, asumiéndola como propia?

Nuestra condición de fronterizos es inevitable: nacimos viendo caricaturas en inglés, haciendo largas filas para comprar gasolina y comida para los perros, conviviendo con un cerco largo, oxidado y sembrado de cruces –y cruces–; nos alimentaron con carne asada, hamburguesas y comida china; aprendimos a festejar Halloween antes que el día de muertos –que rápidamente adoptamos–, y hemos visto sin remilgos el desplazamiento de lo *chilo* hacia lo *chido*. Estoy hablando, claro, de mi generación, esa cosa informe de límites volubles y ego insuperable. Somos lo que somos, y desde ahí escribimos.

Creo que esta condición fronteriza nos ha vuelto un tanto reacios a sumarnos a los rigores de la tradición –cualquiera que esta sea–, y por lo mismo poco dispuestos a canonizar nuestras visiones o querencias. En su momento –que no fue el nuestro– la poesía en Baja California jugó el juego de la reivindicación: de la tierra, de la vocación pionera, del desierto y sus avatares, de la mirada del mar en Ensenada, de la leyenda negra tijuanense o de la conquista del desierto cachanilla. Creo por otra parte que no solamente aquella llamada generación de *californidad* –con su nómina selecta y sus obras clave– ha cultivado esta preocupación por el registro significativo del entorno. Supongo que es inevitable, a fuerza de vivir la vida en un lugar, en una circunstancia específica, afectado por las mismas luces y templado por los mismos climas, terminar comprometido, en alguna medida, con una visión especular.

Sobre mi trabajo, tengo la tentación de afirmar que no, que yo no sufro –¿sufro?– de esa influencia, que mi poesía tiene una ruta propia, autónoma en el vuelo y ajena a aquellas condiciones-condicionantes. Por supuesto, no es así: el entorno nos ronda inevitablemente, y termina convertido en percepción, en adjetivo o en poema.

Aristóteles tenía algo de razón: todo lo que tenemos en la mente ha sido filtrado por nuestra percepción, de alguna forma. El mundo se nos cuela por la piel.

¿Qué diferencias hay entre escribir poesía en Baja California o fuera de Baja California? ¿Las distancias ayudan a comprender mejor tus propios orígenes, a entender mejor los lazos afectivos, sensibles, conceptuales que te unen a la matria peninsular?

Creo que eso puede suceder si el escribir desde Baja California, *conscientemente* desde Baja California, forma parte de tus derroteros: en mi caso, esa condición es una circunstancia, no una determinación. Cuando he escrito fuera del terruño –apenas cobro consciencia de ello– he escrito sobre otros asuntos, sobre otras preocupaciones, en todo caso más vinculadas al descubrimiento de aires nuevos que a la nostalgia del suelo.

De tus libros publicados, ¿cuál es el que consideras sea el más fiel a tu experiencia vital, a tus búsquedas creativas y por qué?

Creo que la creación responde siempre a las circunstancias peculiares de vida: a un tiempo, a un lugar, a ciertas lecturas, a determinadas preocupaciones, a la resolución de conflictos concretos. El poema es una puesta en crisis de lo situacional. En ese sentido, cada libro responde y pretende ser fiel a ciertas experiencias vitales. En mi caso escribí *atanor*, un libro arenoso lleno de sol y cachoras, desde una Tijuana lluviosa e invernal; el libro fue fiel a aquella condición de añoranza. *Zoofismas* es un libro hedonista –creo que todos lo son– que tiene que ver con un asombro gozoso al encontrarme con la palabra hecha trapecio y marometa: leyendo a Gómez de la Serna, a Huidoibro, a Tablada. *Afiles*, libro de fila y frontera, me cayó encima en un tiempo en el que me quedé sin pasaporte. *Minotaura que germine* es un libro de confesiones amorosas: por mi esposa, por el jazz y por la escritura, jugando a la gallina ciega en un laberinto de palabras. *Topos en bisel* es la construcción de una casa hecha metáfora. En resumen: no lo sé.

¿Cómo ves a la poesía que se hace en la frontera norte, en Baja California específicamente? ¿Qué poetas de la entidad han aportado obras significativas y cuáles han sido sus aportaciones fundamentales a la lírica nacional? Creo que la poesía tiene márgenes tan permeables y derroteros tan diversos que resulta difícil establecer parámetros de clasificación que no resulten escandalosamente cuestionables. Fatalmente –y parece ya obsesivo repetirlo– tenemos que hablar siempre de *cierta* poesía, aquella que conozco, alcanzo a ver y me interesa, incluso más allá del gusto –en el entendido, claro, de que toda visión que se presente como objetiva es planteada necesariamente por alguien, esto es, en términos constructivistas, una forma de *subjetividad objetivada*–. Sobre nombres propios, y relativamente recientes, pienso en unos cuantos, disparejos en todo caso en sus aportes, pero finalmente visibles y determinantes en alguna medida: creo por ejemplo que Roberto Castillo impulsó, especialmente en Tijuana, una revisión de la relación entre poesía y calle, llevando habla y visión de lo cotidiano al terreno significativo de la expresión estéticamente consciente; pienso también en un aporte importante representado por Eduardo Arellano o Víctor Soto, que cifra lo mismo una visión y una circunstancia de la poesía, con preocupaciones vinculadas a la comprensión misma de la escritura poética, su historia y reflexión; creo que Mario Bojórquez o José Vicente Anaya –talleristas trashumantes pero significativos– definieron un derrotero importante vinculado al trabajo de taller, que deviene en consciencia autocrítica y definición del oficio. En la poesía tijuanense, los casos de Amaranta Caballero u Omar Pimienta, de tonos y registros distintos y distantes, hablan de algunas preocupaciones recurrentes en la poesía de hoy: una visión mistificada del registro poético de la realidad en el primer caso, o una sana revisión de temas, formas y circunstancias, en el segundo; pienso en la obra de Gabriel Trujillo, consistente como pocas en su consciencia de *ser* poesía y en su cercanía íntima con el lenguaje para traducir al mundo y al poeta. Pienso desde luego en Jorge Ortega, su compromiso riguroso con el oficio de poeta y con una tradición –quizá una convergencia de tradición– de la que se sabe parte y referente cada vez más necesario; creo que nadie como él tiene consciencia de su posición individual respecto al *mundo real* de la poesía. Entre el ala más joven de la creación, las voces de Luis Gastélum o Juan Manuel Reyes Manzo representan algo que apenas se anuncia, pero lo hacen con una determinación promisoria; habrá que estar atentos. Por mi parte, creo haber hecho –estar haciendo– algún aporte significativo a nivel del registro poético; creo también que alguien más tendría –o no, desde luego– que referir el asunto.

Menciono estos nombres como referentes dispersos y, de alguna forma, representativos de *algo*, de diversos algos: la nómina es mayor en su extensión, más amplia en sus visiones y, en todo caso, no todas las trayectorias son consistentes. Podría hacer un listado considerando criterios distintos: algunos nombres se repetirían, otros dejarían lugar a menciones diferentes; podría, pero no lo haré: en este tipo de listados, tanto la omisión como la mención tienen vocación de afrenta. No me interesa jugar ese juego.

¿Qué tendencias predominan hoy en día en la poesía bajacaliforniana contemporánea? ¿Hay estudios sobre tu obra y si no hay qué impacto tiene la falta de un aparato critico alrededor de la practica poética de un poeta como tú?

Creo que si algo le ha faltado de forma consistente a la poesía bajacaliforniana ha sido precisamente un aparato crítico. El espacio natural de reflexión sobre la poesía resulta ser, la mayoría de las veces, circunstancial y efímero: gira alrededor de las presentaciones editoriales y se vuelve volátil como ellas. Las portadillas, contraportadas y cuartas de forros terminan convertidas en los únicos espacios –microespacios, habría que decir– "permanentes" para el comentario de obras, con la condición deformante del elogio presupuesto. Por otra parte, hay cierto número, más bien reducido, de antologías que incluyen algún comentario inicial, de factura e intención bastante disparejas: en algunos casos, son recuentos generacionales que buscan dibujar el panorama propuesto por el compendio; en otros casos, aproximaciones de tipo temático, en las que se enfatizas los móviles comunes, no el registro escritural. Son pocos, muy pocos los casos de publicaciones de corte ensayístico en las que se aborde de forma exclusiva el suceder de la poesía regional; este es el espacio propio de las publicaciones periódicas, pero hace ya una buena cantidad de años tenemos regionalmente un déficit importante de medios —revistas, semanarios o suplementos— que cubran de forma regular la producción y el quehacer de los poetas de la región. Por lo que respecta a la academia, poca atención ha prestado a la producción literaria, en general, y poética en lo particular: no hay en el estado un solo posgrado dedicado al estudio de la literatura, y esta resulta ser la condición natural para la producción académica sobre cualquier campo.

En mi caso, he tenido la fortuna de contar con generosos comentadores de mi trabajo, dentro de las condiciones antes comentadas: como presentadores, prologuistas o compañeros de lectura: José Kozer, Jorge Ortega, Daniel Téllez o Gabriel Trujillo. En el ámbito académico, Eloy Urroz presentó alguna ponencia sobre *Minotaura que germine*, y Kevin Ducey, de la Universidad de Notre Dame, algún comentario sobre *Zoofismas*. No recuerdo más, y me disculpo por ello. Uno siempre está presto a disculparse.

Las peculiaridades de la poesía de la entidad —clima inhóspito, urbes con distinta personalidad, el espacio fronterizo, la escasez de publicaciones–, ¿cómo influyen en la escritura poética?
Creo que su influjo no es mayor o menor que el de cualquier otro entorno: uno es reactivo a los cambios de temperatura, al murmullo de la realidad, al vértigo o a la calma que nos rodea: la poesía se alimenta de eso —aunque

no solo de eso–, más allá de que se trate de líneas fronterizas, glaciares, grandes urbes o linderos selváticos. La escritura de poesía, como cualquier escritura, es siempre circunstanciada, y nuestras circunstancias invariablemente nos definen. Sucede que a veces somos más conscientes de lo situacional, y terminamos destilándolo a través de la escritura. No creo que haya constantes en este sentido; sé que no.

Ya no vivimos en la era de la divinización del poeta, de la sacralización de la poesía. Ahora se escribe desde la cotidianidad de cada quien, desde la realidad de cada uno. La poesía radica hoy en un discurso más directo y personal, en la plaza pública, en las redes sociales, en la democracia de las palabras. ¿Cómo la vives tú? ¿Cómo la difundes al mundo?

Yo no estaría tan seguro acerca de la desacralización de la poesía, el poema y el poeta. Allá afuera, en el mundo, la poesía laudatoria, olímpica, esa que sirve para la exaltación y la lágrima, para encender el amor patrio, decorar con métrica las tertulias literarias –nombradas así–, o para hacer llorar a las mamás en su día, no sólo se encuentra perfectamente viva sino, pensando en criterios estrictamente numéricos, representa una abrumadora mayoría. Uno va por la vida dándose cuenta, constantemente, que eso que los poetas entendemos por poesía (como si hubiera algún acuerdo al respecto: ja), es un asunto que difícilmente embona con esa otra poesía ingenua, torpe y rolliza, que vive en los imaginarios públicos.

Pero bueno, la poesía vive en el mundo y tiene que adecuarse a sus peculiares circunstancias vitales. Antaño, la poesía tenía una vida pública distinta: resulta sorprendente, por ejemplo, pensar en una sociedad en la que el poema tenía cabida en los diarios, de la misma forma que una nota de prensa o una inserción publicitaria. Hoy esto resulta impensable. Otras publicaciones periódicas, como las revistas, fueron un espacio propicio para la difusión de las voces poéticas. Lamentablemente, me parece que el concepto mismo de revista está pasando por una crisis de la que no me queda claro que vaya a sobrevivir; no, cuando menos, en los términos y condiciones con que la recordamos. En todo caso, esos medios electrónicos que hoy conocemos por revistas "literarias", gozan de la misma condición de las revistas impresas del pasado: se mueven en un círculo extremadamente reducido: el que potencialmente *puedan* llegar a tener miles o millones de lectores, no significa, de ninguna forma, que los tengan.

Finalmente, en el ámbito de las redes sociales, la poesía sencillamente no está. Tengo una buena cantidad de amigos poetas con los que tengo contacto por redes sociales, y me queda claro que ese no es el medio que utilizan para difundir su obra; quizá para promover eventos como una presentación, una conferencia o anunciar una nueva publicación, pero no para dar a conocer específicamente su trabajo: las redes no son los espacios propios del poema: no, por lo menos, para los poetas.

Lo que yo hago para difundir mi poesía es muy poco, al igual que muchos de los poetas que conozco: una vez que tengo un conjunto de poemas que pueden coexistir de forma unitaria e independiente, busco convocatorias, habitualmente institucionales, con miras a la publicación de mi trabajo. Cuando esta gestión fructifica y se convierte en libro, me sumo a las lógicas del campo: un par de presentaciones públicas –que anuncio en redes sociales–, la invitación a algunos amigos a escribir aquellas presentaciones, alguna gestión para la publicación de estos textos, y no mucho más. Ocasionalmente participo leyendo en algún evento relacionado con el campo (encuentros, festivales, coloquios de literatura, aunque cada vez me invitan a menos), y nada más. Difícilmente me hago partícipe de los procesos de distribución editorial, más allá del regalo de mano en mano de los ejemplares que me corresponden como autor.

El asunto de la difusión, de la socialización de la literatura, en lo general, y de la poesía en lo particular, merece una reflexión amplia, crítica y minuciosa: paradójicamente, la puesta en público de esta reflexión está en manos de los poetas, con todas las inepcias que frecuentemente ello implica.

En una sociedad como la nuestra, tan pragmática, tan consumista, plena de modas efímeras, ¿aún hay espacio para la poesía o ésta sigue siendo una actividad minoritaria, un culto académico, una secta protegida institucionalmente, pero sin repercusiones en la sociedad en general? ¿Con qué clase de interlocutores cuenta tu poesía? ¿A quién se dirige aparte de ti mismo o del círculo que la frecuenta y practica como creación literaria?
Creo que la poesía, como en general la expresión artística, tienen una vocación marginal que muchas veces raya en lo estilita (que convenientemente es anagrama de elitista); hoy día –y no creo que esto sea una virtud o un defecto, sino una condición– la poesía vive para ser leída por un grupo extremadamente reducido de adeptos: esto

lo saben las editoriales, que en consecuencia publican pocos libros de poemas, lo que viene a reforzar el círculo de contención.

En todo caso, la poesía siempre está ahí, de alguna forma y, pensando en el efecto mariposa, la lectura de un poema en el lugar preciso, en el instante justo y por la persona indicada, puede devenir invento, revolución, muerte o nacimiento. En ese sentido, creo que la poesía es tan extraordinaria como indispensable.

En todo caso, no me preocupa el futuro del poema: los seres humanos, diversos y complejos como somos, necesitamos vías de extrañamiento, estrategias significativas para la sorpresa, el secreto o la conmoción: el poema nos brinda esas vías de catarsis y explosión. De eso se trata todo.

HERIBERTO YÉPEZ

¿Qué te llevó a la escritura poética? ¿Qué te hizo poeta? De tus primeros versos a los actuales, ¿qué ha cambiado en tu forma de escribirlos? Hoy en día, ¿cuál es tu relación con el lenguaje poético, con lo que quieres decir a través de tu poesía?

Entiendo por poeta a un sujeto inmediatamente antipoético o post-poético. No me identifico con lo poético como un estado existencial ininterrumpido. Quisiera siempre habitar el estado poético (que he experimentado algunas veces) pero ese estado es impermanente, fugaz, refulgente, intermitente; entras vía la imagen poética y el ritmo verbal y violentamente eres expulsado de él. Esa experiencia discontinua de lo poético es algo que me llama poderosamente la atención, es algo con lo cual me he obsesionado literariamente; mucho de lo que he escrito ha sido para explorar ese entrada y salida, no sólo en la poesía sino también en la novela. Por eso más que un poeta, me considero un antipoeta o un post-poeta. Por eso obras como las de Nicanor Parra, Borges, John Cage y Charles Bernstein fueron poetas muy importantes en mi juventud. Fueron vías de tratar de entender esa dialéctica entre lo poético y lo post-poético o, mejor dicho, fueron el otro lado de la frontera entre lo poético y lo post-poético. Aunque lo poético, el espíritu romántico, siempre me ha atraído más, me parece más complejo. Pero lo poético, sin embargo, es algo que no puedo concebir sin su contraparte. Experimento una fisura entre el espíritu poético tradicional, incluso el vanguardista y contracultural, y los

estados en que sucedo como sujeto escritural. Al principio lo hice a través de cierta fragmentación de la sintaxis,
el coloquialismo, el espanglish tijuanense y visiones urba-
nas; después lo he indagado describiendo esa fisura misma, mis entradas y salidas de esos estados poéticos. Una
parte de mi poesía trata de la frontera y mis percepciones
en Tijuana; y ahora creo que esa frontera geográfica-me-
tropolitana, cultural e idiomática fue una especie de metáfora de la frontera de lo poético y lo post-poético; otra
parte de mi obra cuestiona y versifica, explícitamente, tal
crisis del estado poético, pero no entendido como abandono de la escritura sino de la crisis de los estados poéticos como sitio de escritura. Eso es lo que he llamado lo
post-poético. Una parte de esta búsqueda la he escrito en
español y otra en inglés. No veo una continuidad entre
mi obra en ambos idiomas, también veo un barranco entre ambos juegos de libros, incluso en mi librero, así los
tengo, separados por un hueco.

**Escribes poesía, ¿para qué? ¿Para quién? ¿Desde qué
perspectiva lo haces: canónica o marginal, central o periférica, tradicional o contemporánea? En todo caso,
¿qué clase de poeta eres según tu propio criterio? ¿Cómo
defines tu obra poética en el contexto de la poesía bajacaliforniana, mexicana, actual?**
No me siento parte de la poesía mexicana. Eso ahora lo
tengo claro. Quizá la parte de mi poesía que más me ha
llevado a diálogos, a sentirme parte de una colectividad,
es la escrita en inglés. He leído decenas de veces en Estados Unidos, y creo que no he leído mi poesía en español
ni una sola vez fuera de Tijuana. Como ya han pasado

20 años de esta situación, creo que es mejor que así se quede (lo digo con un poco de risa, obviamente); entonces supongo que escribo para unos pocos lectores de mis poemarios en español y, por otro lado, participo de una comunidad de poesía experimental en Estados Unidos. Cuando en el 2014-2015, un comité de poetas, académicos y críticos norteamericanos eligieron a los invitados para el segundo congreso de poesía en Berkeley, celebrando los 50 años del de 1965, fui uno de los seleccionados, a pesar de no ser norteamericano ni desarrollar la mayor parte de mi obra en inglés. Creo que ese reconocimiento marcó un momento clave de mi obra, dejó una señal que quizá los lectores y críticos futuros deseen entender, analizar. O quizá no. Pero, en cualquier caso, como poeta bilingüe me siento más bien parte de una poesía fronteriza cuya tradición ha sido discontinua. A veces también veo mi obra como parte de una naciente poética transnacional. La poesía mexicana, en ese sentido, no sólo no me interesa, sino que la percibo como una entidad decadente, anacrónica, nacionalista, oficialista, algo creado por las instituciones más podridas de este territorio. Cuando era joven, mis lecturas eran las que encontraba cualquier joven en las librerías de Tijuana: Neruda, Lorca, Vallejo, Pessoa, Paz; poco después me enganché con la poesía norteamericana, Stein, Olson, Ginsberg y el resto de los beatniks y los "New American Poets" y poco después vía Jerome Rothenberg, que fue una especie de mentor mío (como lo fue, del lado mexicano, José Vicente Anaya) me interesé en los Language Poets y los leí sistemáticamente, quizá fui el primer poeta mexicano en hacer esta lectura al sur de la frontera; luego un poco inocentemente

supuse que era parte de la poesía hecha en México, pero muy pronto me di cuenta que no sólo mi forma de escritura era rechazada por quienes controlan esa "tradición" sino que debía aceptar que mi visión de la poesía me hacía incompatible con la literatura mexicana, a pesar de que Tijuana sea una ciudad todavía en territorio mexicano. Me siento parte de una literatura aparte, pequeña, fantasmagórica, emergente, independiente y discontinua. Curiosamente, al final me he dado cuenta que la república anarco-socialista de los magonistas en Baja California no duró mucho en la realidad, pero permaneció secretamente como una utopía en lugares como el arte y la poesía, y ahí, como un poeta filibustero para ambos bandos, quedé yo escribiendo.

Frente a otros géneros literarios, como la narrativa o el ensayo, la poesía en Baja California ¿qué da a sus lectores?, ¿qué aporta a la fiesta de la palabra?, ¿qué temas domina? ¿qué lenguajes alienta?
Creo que el gran mérito de varios poetas bajacalifornianos ha sido mantener una tradición aparte; no habernos integrado a la poesía nacional. Tener un territorio literario aparte, una república poética y post-poética independiente. Pienso en la poesía de Francisco Morales o en la Roberto Castillo, por ejemplo. No estoy seguro que este espíritu independentista sea mantenido por las nuevas generaciones. Pero eso ya no me toca saberlo. Mi impresión es que la actual generación de versistas, los pocos que hay, fueron asimilados por la visión centralista y ni siquiera se han dado cuenta y, mucho menos, se lo han cuestionado. Creo que en la literatura en Baja California

se dieron pasos atrás. No veo el equivalente de alguien que escribe todos los géneros y sea tan prolífico como Gabriel Trujillo, por ejemplo. Tampoco veo a un crítico como Humberto Félix Berumen, que, a pesar de ser tradicionalista, tuvo atención sistemática a una buena parte, no toda, pero una buena parte de la producción literaria de una época. Veo gente que se queja de que Trujillo o Berumen existan, pero no veo quién sea capaz, aunque sea de igualar su quehacer o disciplina. Tampoco veo la agitación que supieron crear los movimientos del fanzine en los noventa o el Tijuana Blog Front en los dos mil. Creo que ahora la literatura bajacaliforniana es un montón de cuentas en Facebook pidiendo favores a otros selfies viviendo en D.F. No veo ninguna ruptura, veo que siguen las direcciones que otros marcamos y, a la vez, una incapacidad para superar a la literatura fronteriza anterior. Huyeron a la literatura "nacional", es decir, las convenciones, las mafias, las instituciones, las redes de intercambios de favores y abandonaron el proyecto de una micro-literatura epocal-local en resistencia. Se vendieron a la Ciudad de México, algo que no había sucedido desde hacía muchas décadas. En lo que toca a mi momento, estoy contento de haber colaborado con ese imaginario independiente, regional, aguerrido y, creo, temporal, ya más bien terminado. Puedo decir que nací, crecí y voy a morir en esa república imaginaria. Puedo decir que fui uno de los guerrilleros culturales de Tijuana. En la actualidad, he ganado tantos enemigos que incluso en muchos círculos soy una especie de tema tabú, que sólo se discute en privado, pero que en lo público es mejor mantener innombrable, fingir que mi obra poética, narrativa, crítica, teórica o de traducción no ha existido. En algunos casos, muchos no la conocen, porque se ha publicado fuera de Ciudad de México; en otros casos, quienes la conocen buscan que no la conozcan otros. No he querido intervenir en este proceso. Prefiero que mi poética tenga su propio tiempo y proceso.

En términos de libertad expresiva, de experimentación verbal, de rigor imaginativo, ¿cómo ves la situación de la poesía bajacaliforniana del siglo XXI? ¿Qué le falta y qué le sobra? ¿Cómo te ubicas en ella?
Creo que a la poesía bajacaliforniana del siglo XXI todavía le faltan algunos años, unos 5 o 10 más para tener claro que se hizo, circuló y sobrevivió. Ahora más bien sólo tengo claro lo que sucedió hacia finales de siglo, tanto en poesía y narrativa, porque no puedo dividir lo que escribieron Rafa Saavedra, L. H. Crosthwaite o Rosina Conde, y todo esto lo veo como un experimentalismo propio de la frontera, y que hoy se le imita y suaviza en el centro del país o por otr@s escritore@s más conservadores. Pero históricamente, el uso de los lenguajes electrónicos, el inglés, lo narcoliterario, lo fronterizo, en general, fue una innovación que ocurrió entre Mexicali y Tijuana en los noventas y principios de siglo; fuimos más bien rechazados entonces y después, y luego ya, 15 o 20 años después, surgieron imitaciones en otras partes, pero la literatura fronteriza, en realidad, ya había sucedido y terminado entre Mexicali y Tijuana años antes. Llevo tiempo pensando, para ser más preciso, que la literatura fronteriza más que estar situada en una *región* ocurrió en un *periodo*. Creo que el error que se ha cometido anteriormente en

entender la escritura fronteriza como si fuera un fenómeno exclusiva o primordialmente *espacial,* preferentemente *territorial;* creo que más bien fue un fenómeno cultural *temporal.* Si algo quisiera agregar y enfatizar (ahora) dentro de la discusión es esta índole más temporal que espacial de la literatura fronteriza. Por (ahora) esto es lo que quisiera decir sobre lo fronterizo.

Escribir como nativo o residente del norte del país, de la frontera incluso, ¿en qué sentido condiciona tu escritura? ¿De qué forma reaccionas a esta realidad: evadiéndola, confrontándola, asumiéndola como propia?
Todo lo que escribo se trata de alguna frontera; a veces la geopolítica, binacional; otras veces de fronteras entre géneros. El impulso y materia para escribir que tuve fue Tijuana. Soy parte de un movimiento de varias generaciones que compartimos ese ímpetu. Para mí esta condición fronteriza se resume en una apuesta de diferencia y una resistencia contra toda forma de canon y centro. El secreto, por supuesto, es encontrar el arte y placer de una resistencia desde la literatura; saber dar una lucha micropolítica unida al goce estético. Lo que he querido es convertir la frontera en una memoria (estética) de un dolor y disfrute que fueron tan intensos que adquirieron formas distintas a los de otros lugares y otras épocas. Para mí el arte y la literatura son modos de hacer memoria de una fase de una cultura amada de heterodoxa forma.

¿Qué diferencias hay entre escribir poesía en Baja California o fuera de Baja California? ¿Las distancias ayudan a comprender mejor tus propios orígenes, a entender

Gabriel Trujillo Muñoz

mejor los lazos afectivos, sensibles, conceptuales que te unen a la matria peninsular?
He vivido en California, en el área de la Bahía de San Francisco y, sobre todo, en Tijuana. Son las dos áreas con las que me identificó vitalmente y en las cuales, de algún modo, quedé dividido. Estando en una me hace falta la otra parte ya. Pero pertenezco a Tijuana, eso lo tengo claro. Pero como toda mi familia emigró a Estados Unidos, una parte de mí está allá y desde niño he sentido ese impulso hacia California donde, paradójicamente, está el pasado de mi familia. Allá se fueron mis ancianos y allá voy a visitar sus tumbas. Y al pensar en distancias, en general, más bien me viene al cuerpo y la mente la sensación de tengo una fuerte distancia con México, me siento separado de muchas costumbres, instituciones o formas de ser mexicanas. En el mundo en que crecí, la gente no decía "soy mexicano" sino "soy de Tijuana", y eso quería decir que no te sentías ni gringo ni mexicano, que eras parte de algo distinto, de Tijuana; y esa sensación, certeza y deseo (todo esto mezclado) me formó y no hay modo de quitármelo, me iré a la tumba sintiéndome de este modo, aunque ahora me he dado cuenta que soy parte de una cultura local en extinción: mucha gente en Tijuana ya no se siente así, jamás se ha sentido así, y los que nos educamos en esa cultura local estamos ya en proceso de desaparición. Pasamos de una Tijuana fronteriza a una Tijuana nacionalizada. Ahora creo que nadie nota esto, pero en el futuro los estudiosos de lo cultural y los antropólogos atentos, sabrán identificar ese fenómeno que se produjo en esta esquina. En particular, en los últimos años, por cierto, la ciudad que más me ha

interesado es la vieja Tijuana. Tengo la sensación de que
la actual Tijuana es ya más convencional, más mexicana que la que conocí en mi niñez y juventud. Esa Tijuana de mi pasado me intriga, y la veo ya fantasmal y es esa
ciudad aquello que mi obra actualmente explora. Si sigo
en Tijuana es únicamente porque esta Tijuana re-mexica-
nizada, de vez en cuando, me permite viajar imaginaria-
mente a esa Tijuana post-mexicana que conocí en aquellos años. Lo que quiero decir es que, en el fondo, yo más
bien vivo en puras ciudades imaginarias. Ya soy, literalmente, un *ghost-writer*.

**De tus libros publicados, ¿cuál es el que consideras sea
el más fiel a tu experiencia vital, a tus búsquedas creativas y por qué?**
De los libros de experimentación poética creo que *Wars.
Threesomes. Drafts. & Mothers* es el que mejor capturó un
momento de mi imaginación poética y búsqueda formal.
Otro libro que me gusta es *41 clósets*. Son libros compues-
tos desde alter egos intensos, desde yoes líricos que con-
seguí convertir en espirales textuales. También me gusta
mi primer libro (*Por una Poética antes del Paleolítico y después de la Propaganda*) porque creo que no se había escrito un poemario de ese tipo en aquel momento y todavía
me sorprende que siendo tan joven haya tenido ese compromiso con el espíritu poético urbano. Algunos poemas
de ese libro lo escribí cuando era empleado de la maquila. Por eso quizá le tengo cariño. Pero también me parec-
ce interesante *Tijuanologías*, que para mí es un libro poético a nivel del uso de la palabra y del sujeto ahí creado.
Otro libro más reciente es *El libro de lo post-poético*; creo

que ahí exploré una zona literaria y filosófica, la aceché desde distintos poemas, me gusta su búsqueda hacia qué es lo post-poético. En verdad, no puedo decir que prefiero un libro o poemario sobre otro. Los he publicado porque me han gustado esas series que esas páginas capturan. Son libros que han permanecido aparte, son todavía un tanto inclasificables, fuera de la República de las Letras o de otras categorías taxonómicas. Sólo son comprensibles como parte de la literatura de Tijuana del pasado.

¿Hay estudios sobre tu obra y si no hay qué impacto tiene la falta de un aparato crítico alrededor de la practica poética de un poeta como tú?
Estoy convencido que sólo otros poetas realmente pueden discutir la poesía. Creo que quien mejor ha entendido mi labor poética ha sido Juliana Spahr, ha escrito poco sobre mi obra, pero lo que escribió me pareció interesante. También me interesó lo escrito por Michael Davidson en un capítulo de un libro suyo, aunque recuerdo que sólo fue sobre mi poesía visual que hice en las calles. Ha habido otros textos, pero me parecen muy improvisados o poco sagaces con el análisis. He tenido mucha crítica, pero toda más bien mal hecha, reseñas positivas o negativas, pero poco originales o hecha por supuestos críticos del D.F. que creen que si mis libros fronterizos no se parecen a sus gustos defeños esto dice algo de mi literatura o de Tijuana. No sé si al futuro le interese lo que he hecho. Si algo hice bien, le interesará a unos pocos entonces; si no interesa a nadie, entonces, fui un mero delirante. Pero en general, si pensamos en la literatura fronteriza de Tijuana o Mexicali, más bien creo que han hecho falta

críticos, académicos, historiadores, verdaderamente profesionales. Al principio la literatura fronteriza tuvo interés de académicos, casi todos oportunistas, que escribieron alguna ponencia, algún artículo y luego pasaron a la siguiente moda. Quienes hacíamos literatura fronteriza sabíamos de sus intereses por sus emails, visitas o invitaciones a ser exhibidos como su nuevo objeto de estudio, pero nunca siquiera recibíamos un aviso de que habían publicado su artículo o presentado su ponencia. Después una nueva generación de académicos (nacionales y extranjeros) apareció y como la anterior se había ocupado supuestamente de la literatura fronteriza mexicana, la siguiente ya buscó otro "tema", otro "grupo de autores", otra "moda", otros "salvajes" y, entonces, afortunadamente, nos dejaron en paz y volvimos a escribir, como antes de su supuesto interés, para un grupo reducidos de lectores, algunos de ellos lectores locales, algunos colegas fronterizos y unos cuantos escritores de otras partes. Esa escasez de crítica, de estudios e incluso de lectores me parece propicio para escribir en una especie de aislamiento, condena, marginación e independencia que te hacen muy crítico del aparato literario en general, de las instituciones y, sobre todo, de ti mismo, porque escribes en más de una desventaja y como poeta, como escritor en general, te das cuenta que si quieres legar algún texto o libro al futuro tienes que concentrarte, tiene que esforzarte bastante, porque todas las probabilidades y todo el medio literario están en contra de la existencia de una radical poética fronteriza.

Patricia Blake

¿Qué te llevó a la escritura poética? ¿Qué te hizo poeta? De tus primeros versos a los actuales, ¿qué ha cambiado en tu forma de escribirlos? Hoy en día, ¿cuál es tu relación con el lenguaje poético, con lo que quieres decir a través de tu poesía?

Mi encuentro con la poesía surgió a partir de la palabra y sus sonidos, y lo ubico al mismo tiempo de mi encuentro con la lectura. Cuando era niña, mi papá me compraba cómics y aún antes de saber leer, me gustaba repasar las páginas de los cómics, "leyendo" la historia que mi papá me había contado previamente. A veces yo le contaba la historia. Incluso leía el mismo cómic muchas veces y me volvía a reír de los mismos chistes. En ese tiempo, la lectura de cómics derivó en que mi papa después me empezó a compartir fragmentos de su libro favorito: *Pedro Páramo*. Así que este libro de Juan Rulfo, con su musicalidad y poesía, sumado a la voz de mi papá entre sueños, imprimió en mí la importancia de la palabra, de su ritmo. Posteriormente, seguí con la lectura y posteriormente con la escritura narrativa.

Ya en la adolescencia descubrí libros de poesía que me hicieron darme cuenta que este género era mucho más de lo que hasta entonces creía yo que era. Esta apertura de mi visión sobre la poesía se concretó más adelante en el Taller de Poesía de la UABC, en Tijuana, que en ese tiempo estaba coordinado por Gilberto Zúñiga.

Ahí conocí a otros poetas jóvenes, como Roberto Navarro, Adrián Volt Saénz, Teresa Avedoy, Miguel Quivira, con quienes exploramos con avidez la biblioteca personal del coordinador, quien generosamente nos abrió las puertas de sus libros con libertad, lo que nos permitía a cada uno explorar la lectura de autores de diversas épocas, así como la escritura y la corrección de textos. Entonces ahondamos en escritores tan diversos como Ezra Pound, Gonzalo Rojas, Fernando Pessoa, Cesare Pavese, los beatniks, y muchos otros que nos plantearon caminos para continuar con los procesos de lectura y escritura.

En ese tiempo, leer era escribir y era también leer en público, compartir lo que íbamos escribiendo constantemente. Era común que antes o después de la sesión del taller nos fuéramos a leer a algún café. Fue entonces cuando formamos el grupo Poeta No-Lugar, con el que hicimos muchas lecturas planeadas y espontáneas, así como algunas exposiciones de objetos creados por nosotros mismos en los que trasladábamos la experiencia-palabra de algún poema, como un ejercicio de expansión del poema.

A partir de esas experiencias surgió el Encuentro Caracol de Poesía Tijuana, que estuvimos impulsando en sus primeras ediciones como Poeta No-Lugar, junto con Yohanna Jaramillo, quien posteriormente continuó el mismo hasta hoy, que en el 2015 celebró su primera década de existencia.

Todas estas experiencias me han ido formando como escritora.

¿Escribes poesía, ¿para qué? ¿Para quién? ¿Desde qué perspectiva lo haces: canónica o marginal, central o periférica, tradicional o contemporánea? En todo caso, ¿qué clase de poeta eres según tu propio criterio? ¿Cómo

defines tu obra poética en el contexto de la poesía baja-californiana, mexicana, actual?

Escribo poesía porque me reconozco en ella; me permite expandir los límites de lo que creía posible y me permite experimentar cada vez, renovar la mirada. Escribo para mí y para buscar interlocutores alrededor de todo aquello que la poesía toca, que no tocan otras formas del lenguaje.

Me percibo como poeta de lo cotidiano. Me gusta explorar lo que veo todos los días, pero con la mirada de la poesía. Eso me permite reconocer que la realidad tiene muchas capas, que se pueden tocar. Acceder a la misma realidad, pero con una nueva mirada. Buscar nuevas formas de nombrar algo y también encontrarle significados a lo nombrado.

Me gusta la sencillez en la poesía. Me gusta el reto de encontrar la poesía y su brillo sin alejarme demasiado del lenguaje cotidiano.

Frente a otros géneros literarios, como la narrativa o el ensayo, la poesía en Baja California, ¿qué da a sus lectores? ¿Qué aporta a la fiesta de la palabra? ¿Qué temas domina? ¿Qué lenguajes alienta?

Es difícil hablar de "lo que sucede en Baja California", ya que habría que hablar de poetas en específico, pero aventurándome a la generalización, la poesía en comparación con otros géneros aborda con mayor concisión lo que expresa, y aquí no es la excepción. Además de la riqueza que ofrece en sí la poesía en comparación con otros géneros literarios, en Baja California los escritores de este género han abordado con mayor libertad una diversidad

de temas. Me aventuro a afirmar, sin temor a errar, que
en Baja California el género en el que contamos con una
más fuerte obra de los artistas regionales es en poesía.

**En términos de libertad expresiva, de experimentación
verbal, de rigor imaginativo, ¿cómo ves la situación de
la poesía bajacaliforniana del siglo XXI? ¿Qué le falta y
qué le sobra? ¿Cómo te ubicas en ella?**
Hablar de la poesía bajacaliforniana del Siglo XXI es concepto tan amplio que incluye poetas de muy diversas edades y estilos que están escribiendo actualmente. Creo que
dependiendo de a quién le preguntes, se enfocará en per-
cibir, dependiendo de a quienes cada quien conozca y
haya leído.

Creo que en los y las poetas que conozco, hay una
libertad expresiva especial. No sé si, nuevamente, se trate
de la lejanía –geográfica- con el centro y sus cánones, o
si el ser un estado de cruce y cambios tenga que ver con
ello. Sobre experimentación verbal, hay de todo: he leído
poetas bajacalifornianos que experimentan y que buscan
ir más allá de la norma; y puedes escucharlos a ellos en
la misma lectura colectiva en la que alguien lee algo que
emula un poema de Amado Nervo o Pablo Neruda (No
porque tenga algo en contra de estos dos poetas, sino que
lo menciono haciendo referencia a que son escritores que
surgieron en otra época y contexto).

Si pudiera agregarle algo a la poesía en Baja California
es profesionalización de los escritores. Lamentablemente no conozco a un solo escritor de Baja California que
viva de lo que escribe. Quienes lo hacen invariablemente
es porque cuentan con la beca del Sistema Nacional de

Patricia Blake

Creadores, pero de ahí en fuera es casi imposible. Sé que esto no es privativo de Baja California, sino que es en general en el gremio de escritores. Sin embargo, me gustaría mucho ver que pudiera suceder esto. Y para ello falta mucho todavía.

En este contexto me ubico como una escritora apasionada de la lectura y la escritura que considera estas actividades desde varios aspectos. Me interesa, además de lo que ello puede ofrecer a un individuo, también lo que colectivamente puede lograr: que comunidades se unan, que haya cambios en las personas y en sus expectativas de vida. Creo que los escritores conocemos un secreto y es nuestro deber compartirlo.

Escribir como nativo o residente del norte del país, de la frontera incluso, ¿en qué sentido condiciona tu escritura, de qué forma reaccionas ante esta realidad: evadiéndola, confrontándola, asumiéndola como propia?
Considero que invariablemente el contexto de quien escribe se filtra en su obra. Me gusta explorar elementos de mi entorno en lo que escribo, aunque generalmente en lo que publico quedan presentes de una forma no tan obvia. Por ejemplo, hasta ahora no he abordado en poesía el tema de la frontera, sin embargo, en *Ciudad A* me aproximo a las ciudades y espacios de tránsito, a los cambios y surgimientos. Muy probablemente no existiría este libro si tuviera una historia en otra ciudad. No puedo saberlo, pero lo intuyo.

¿Qué diferencias hay entre escribir poesía en Baja California o fuera de Baja California? ¿Las distancias ayudan a comprender mejor tus propios orígenes, a entender

mejor los lazos afectivos sensibles, conceptuales que te unen a la matria peninsular?
Nací en Sonora, que es el lugar de mi árbol materno. Sin embargo, el lugar de mi corazón es Tijuana, en donde vivo desde que tenía 4 años, donde he vivido desde entonces y donde han nacido mis hijos. Hasta ahora mi experiencia de escribir fuera de Baja California solamente ha sido en viajes, mas no por haber cambiado mi lugar de residencia. Supongo que hay una diferencia importante entre ello, y solo puedo hablar de lo que he vivido.

Al tener contacto con personas de otra cultura o formas de vida, invariablemente me hace reflexionar sobre la cultura y forma de vida propia. Y el acceso a ello no necesariamente ha sido fuera de Baja California, aunque también me ha ocurrido desde otros países.

En *Amanecer de viaje* abordo un poco algunos de estos viajes –geográficos y no– y las formas en las que impactan la propia vida y la escritura.

De tus libros publicados, ¿cuál es el que consideras sea el más fiel a tu experiencia vital, a tus búsquedas creativas y por qué?
Mis libros publicados son: *Ciudad A* (Tierra Adentro, 2012), *Amanecer de viaje* (Cecut, 2006), *El árbol* (Editorial Existir, 2002). Publiqué también en Puerto Rico, con una editorial independiente, *Los puntos son ciudades* (Indómita, 2012), que incluye textos de los tres libros anteriores.

Hasta ahorita, el más reciente, *Ciudad A* es el que creo que es más fiel a mis búsquedas creativas, aunque no considero que sea todavía el lugar al que quiero llegar en la escritura (si es que hubiera algo como tal, un "lugar al que llegar". Lo veo más como la Ítaca, en la que importa el camino y la búsqueda, no el destino). En *Ciudad A* es un poco más evidente las búsquedas que estuve realizando en cierto periodo. En los libros anteriores todavía me encontraba muy cerca del "querer decir" y más lejos de la experimentación. En *Ciudad A* mi búsqueda fue más hacia el mapa en muchos sentidos; la exploración de la ciudad como espacio, -que es un tema que me apasiona- pero sin ubicarme específicamente en Tijuana, sino en la reflexión sobre el espacio, y la reflexión sobre todas las cosas que son como ciudades y que también habitamos (recuerdos, emociones, proyectos, ideas, vivencias). El espacio como el lugar que habito, pero no solamente en el sentido físico. La ciudad espacio geográfico, pero sobre todo las ciudades que se construyen con el lenguaje. En este libro identifico, por ejemplo, diferencias en velocidad entre un poema y otro, de acuerdo a la intención, formas disímiles en las diferentes "regiones" de la ciudad y que intentan también abarcar diferentes "regiones" temáticas y de forma.

En *Ciudad A* experimento un poco más con la forma que en los anteriores, y creo que esa ha sido la tendencia de un libro a otro. Ahora me encuentro en otro proyecto, en el que mi experimentación va en otros sentidos, y en el que me he permitido —creo— mayor libertad, el uso de otras voces, de otros tonos, el uso de personajes, el desarrollo de una historia a través de los poemas. Es un libro que está casi listo, llamado "Todos los osos polares son zurdos".

¿Cómo ves la poesía que se hace en la frontera norte, en Baja California especialmente? ¿Qué poetas de la entidad han aportado obras significativas y cuáles han sido sus aportaciones fundamentales a la lírica nacional?

De Francisco Morales, por ejemplo, me quedo con su visión de la ciudad, del entorno. Con sus poemas que son como canciones y homenajes a lo que lo rodea. Quien quiera conocer esta región, tiene que conocer la mirada y el ritmo que Morales tiene para ella.

De Roberto Castillo me quedo con la sencillez para nombrar. Con la visión que hace de cualquier día una celebración especial. Leerlo es recordar que no es necesario buscarle tanto en las palabras, porque las más sencillas guardan las más grandes maravillas.

De otros más jóvenes, Teresa Avedoy me encanta como poeta con su mirada aguda y lenguaje sencillo en lo cotidiano. Omar Pimienta me parece muy bueno también. Jorge Ortega, con un lenguaje más culto, por así decirlo, pero también excelente. Raúl Fernando Linares, es otro poeta también mexicalense que podría mencionar.

¿Qué tendencias predominan hoy en día en la poesía bajacaliforniana contemporánea? ¿Hay estudios sobre tu obra y si no hay qué importancia tiene la falta de un aparato crítico alrededor de la práctica poética de un poeta como tú?

Creo que el aparato crítico alrededor de la obra de todo escritor es una apertura de canales de diálogo sobre, desde y hacia la obra misma. Siempre se agradece que haya lectores que valoren tanto lo escrito, que se tomen el tiempo de dialogar con ello, ya sea desde la crítica o desde la reseña.

En general, en Baja California, no hay un espacio formal de crítica, y las formas de abordar la obra de otros tiende más a la reseña. Incluso los trabajos académicos sobre los autores muchas veces caen en la descripción más que en el análisis. Esto sin contar que los trabajos académicos sobre la obra Baja Californiana rara vez sale de las aulas de las universidades.

Curiosamente, encuentro que del otro lado de la frontera se les ha dado una mayor importancia a los escritores de Baja California y hay incluso cátedras que se dedican especialmente a algunos autores de esta región. Estoy hablando de espacios como la UCSD o SDSU, en donde la literatura regional es valorada a través de su estudio.

Las peculiaridades de la poesía en la entidad —clima inhóspito, urbes con distinta personalidad, el espacio fronterizo, la escasez de publicaciones-, ¿cómo influyen en la escritura poética?
Las características en la entidad le dan ciertas características a la poesía en la entidad. Por un lado, contamos con un entorno riquísimo en temas y complejidad, que enriquece lo que desde aquí se crea. La frontera y sus diversidades, sus contrastes, nos marcan con una particular mirada, en la que los cánones se vuelven relativos.

Por otro lado, no contamos con un entorno cultural que privilegie los talleres literarios o los espacios establecidos para aprender y practicar formalmente escritura. Entonces, ello provoca que cada escritor busque sus propios medios para formarse. Hay quienes enriquecen sus búsquedas con otras disciplinas, o quienes emigran a Estados Unidos y estudian allá, quienes forman sus grupos literarios por afinidades, o quienes estudian Literatura con el afán de aprender algo cercano a la creación literaria. Cada vez menos son quienes migran a la Ciudad de México, pero creo que todavía el centralismo sigue siendo muy marcado y provoca que las oportunidades sean mayores en esa ciudad que en el resto del país.

La mayor parte de los poetas bajacalifornianos creo que asumimos esta distancia geográfica, y buscamos las alternativas que tenemos al alcance. Esta necesidad de valorar las alternativas, nos han hecho encontrar espacios en Internet, en las editoriales independientes y en proyectos que luego es común que migren a otras latitudes y llamen la atención desde la periferia.

Ya no vivimos en la era de la divinización del poeta, de la sacralización de la poesía. Ahora se escribe desde la cotidianidad de cada quien, desde la realidad de cada uno. La poesía radica hoy en un discurso más directo y personal, en la plaza pública, en las redes sociales, en la democracia de las palabras, ¿cómo la vives tu? ¿Cómo la difundes al mundo?

La poesía que más disfruto generalmente es la que me hace descubrir nuevas formas de ver lo cotidiano. Una calle, una plática, un objeto que puede volverse invisible con el tiempo, resurgen a partir de la mirada y el lenguaje poéticos. Me gusta también utilizar las palabras con las que pediría algo en el mercado, o con las que le hablaría a mi pareja o a mis hijos; las palabras con las que vivo mi día a día, porque creo que son las que están más cargadas de emociones y significados, además de ser las palabras con las que podría encontrar más interlocutores a quienes invitar a observar lo que la poesía puede develar. No quiero decir que es mejor en sí mismo un poema que utiliza lenguaje coloquial, sino que es un elemento que facilita la comprensión y por lo tanto es más inclusivo, es como una invitación abierta a disfrutar un manjar.

En una sociedad como la nuestra, tan pragmática, tan consumista, plena de modas efímeras, ¿aún hay espacio para la poesía o ésta sigue siendo una actividad minoritaria, un culto académico, una secta protegida institucionalmente, pero sin repercusiones en la sociedad en general? ¿Con qué clase de interlocutores cuenta tu poesía? ¿A quién se dirige aparte de ti misma o del círculo que la frecuenta y practica como creación literaria? Aspiro a que lo que escribo tenga un diálogo con cualquier persona, sea un lector culto o no. Que tenga el mismo texto un diálogo tanto con el lector culto como con quien simplemente se aproxima por curiosidad a hojear un libro o lo escucha por ahí. Más allá de lo que llamamos literatura y de lo que se han clasificado como géneros de ella, creo que la creación debe tener un compromiso con el entorno actual. Creo que la poesía y la lectura, tienen en sí claves muy importantes para entender este entorno actual y entendernos como seres en este mundo. Creo que es un deber de quienes conocemos estos beneficios y de quienes sabemos de la gran trascendencia social y personal que puede tener la lectura, el darlos a conocer y hacer amigable la bienvenida a este mundo con lo que escribimos.

LUIS ALFREDO GASTÉLUM

¿Qué te llevó a la escritura poética?
En primera instancia la lectura. Desde pequeño leía y leía y me fascinaba leer al mundo. Historias increíbles, sobre todo fábulas e historias de Medio Oriente o Grecia, y un poco más adelante de Edgar Allan Poe, me provocaron el gusto por la lectura. Fue Poe el escritor que me inició, creo que sí. Leerlo fue para mí una experiencia sensacional: sentí al mundo como un lugar oscuro, peligroso, minucioso, colmado de dudas, diferente a la literatura infantil que tanto amé o, mejor dicho, parecido a la literatura infantil cuando ésta me mostraba su lado tétrico. Yo tenía entonces 10 años y me sedujo encontrar palabras distintas y saber su significado, conocer de otras culturas, y me encantaban los finales sorpresivos; la literatura, por decirlo de alguna manera sencilla y trasnochada, me abrió las puertas de la imaginación.

Me sedujo el uso del lenguaje. Con Lovecraft abandoné la infancia; también con Horacio Quiroga y Sófocles. *El mito de Cthulhu* me desvencijó, los *Cuentos de amor, de locura y de muerte* me atormentaron y las tragedias de Sófocles me enseñaron que en la literatura todo era posible, incluso que el triunfo del dolor. Por decirlo de una manera, así lo reflexioné una vez, la literatura era la forma de ser feliz sin la felicidad. Mis pensamientos se volvieron turbios, agudos y oportunos, paralelos a la llegada de mi adolescencia; pero luego vinieron las muchachas. Y eso me impulsó aún más. Y por ellas, empecé a imitar a Poe, en cuanto a su estilo, y las letras románticas de los

Beatles, para decir cosas bonitas. En ese tiempo no había más música que la del grupo británico. La poesía era eso para mí, una mezcla de horror amoroso: creo que aún lo es. Luego alguien me habló de Neruda y leí los *20 poemas de amor y una canción desesperada*. Me fascinó. De hecho, una chica (cuya original forma de "cortarme" en mi cumpleaños, nunca olvido) me dedicó el Poema 7 y me nació ese gusto por "hacer sentir algo".

Escribir era para mí un simple juego de palabras, un intenso momento de soledad y pluma dedicado a la fémina en turno y al sentir en turno; se dice: un desahogo. Luego manejé otros temas, incluso escribí un terrible poema sobre un sol gobernante y se lo mostré a una señora, muy cristiana, que me confundió después con un adolescente con problemas de drogadicción y violencia intrafamiliar. Fue mi primera crítica.

Cuando en la secundaria un profesor, cuyo nombre no recuerdo, me obligó a leer poesía barroca, lo confronté. No me gustaba esa "escultura del verso". Para mí la poesía tenía que ser más sencilla y por eso me enfoqué en poetas más populares: Neruda, Sabines, Benedetti, etc. Esas eran mis lecturas adolescentes, yo no entendía de estructuras ni de sílabas ni de "lisonjerismos", si me permites el término. Más tarde me encontré con un poema de Neruda diferente a lo que había leído: Walking Around. Y cambié mi idea de la poesía. Luego leí a Paz y a Whitman y a Baudelarire y a Gibrán. Sobre todo, éste último me cautivó: Gibrán me contuvo, me dio un vuelco y me conmocionó. Luego, un tío, Ciro Sebastián, el poeta mayor de la familia, al que le agradezco mucho que yo sea poeta, me presentó a Nietzsche, una colección total del germano que me abrió un horizonte amplísimo del acto de reflexionar y escribir. Confieso que no entendí mucho, pero en ese estado de confusión, conocí muchas de las trampas del pensamiento y de la escritura. Ya jamás, con esto, abandoné la lectura y la escritura. A partir de eso escribir poesía fue un acto que percibí como una manera de contrarrestar al olvido, porque pensaba (y aún lo pienso) en esa inmortalidad que otorga el acto escritural. Es sabido que la obra dura más días que el autor, pero es la obra la que arrastra al autor, por ende, éste no muere, no se olvida. Bueno, espero que haberme explicado. Al final, mi inicio en la escritura se debió por mi afán de reivindicar lo leído y así cambiar los papeles: yo quería ser el leído, quería ser una voz.

¿Qué te hizo poeta?

Leer y las novias, ya lo dije. Alguna vez escuché que para escribir sobre el amor habría que tener 80 años, pero el amor, tema cardinal, es lo que uno escribe cuando empieza; es su carácter múltiple, sagrado (no me pondré cursi), lo puramente válido y válidamente poético; y así es, creo que la mayoría de los poetas empiezan con el mismo tópico. La forma de llegar a la escritura poética, creo, es la misma que nos retira de ella.

Con el tiempo empecé a escribir poemas, como lo dije antes, a las chicas, y las chicas de mis amigos. Era recomendablemente cursi. Recuerdo que hasta empecé a cobrarles. Y me atraía eso que la poesía provocaba. Luego tomé otros temas. La misma lectura de poesía me dio para sembrar otros frutos: Villaurrutia, me gustaba mucho Villaurrutia. Me hizo nocturno. Y me gustaban mucho Girondo, Juarroz, Cardenal, Mutis, Borges, etc.

Fui mucho de leer poesía en mi idioma. Y así engendré mi pasión por el género lírico. Hasta hoy lo considero el tutor de todos los géneros.

De tus primeros versos a los actuales, ¿qué ha cambiado en tu forma de escribirlos?
La técnica, sin duda. La forma y el tratamiento de los fondos. La estructura de cada proyecto. La idea juvenil de querer comerme al mundo sin colmillos, al principio, y la idea de escribir algo bien escrito (sin intentar ser novedoso, algo que es obsoleto, dicen ahora). La madurez personal. No sé. Los versos cambian con uno, como uno cambia con el tiempo. Si se trata de legitimar mi obra o compararla dentro de su propio *corpus*, pienso que tiene una relación entrañable conmigo y con los pequeños-grandes detalles que me apasionan.

Hoy en día, ¿cuál es tu relación con el lenguaje poético, con lo que quieres decir a través de tu poesía?
Me gusta escribir una poesía múltiple en cuanto a sus búsquedas. No me considero un poeta chef que toma un ingrediente por aquí, otro por acá y otro por acullá, y luego vierte cada uno en la caldera hirviendo para cocinar la gran sopa y así ganar el Master Chef de la poesía mexicana. No soy partidario tampoco de la improvisación. Me agrada ser un poco metódico en relación al proceso escritural, y voy paso a paso, poema a poema. Sí soy partidario de las formas, pero no me gusta repetirme. Mis proyectos de libro, en cuanto a sus temáticas, a su estilística, a su rigor, deben diferir el uno del otro. Puedo escribir un poema metafísico y luego uno conversacional, puedo escribir un poema elegiaco o uno lúdicamente imposible,

puedo escribir en prosa como en verso, un haikú o una oda (nunca un soneto), sobre la televisión o sobre las piedras. Mi relación con el lenguaje poético es íntima, creo que todo el que escribe piensa así, y de este modo mis intereses al escribir se vuelven genuinos, sin pensar en Conaculta o editoriales españolas o fondos editoriales de quién sabe dónde, eso entra en el canal de edición, algo que no me compete cuando escribo. Es simplemente, como se dijo por ahí, escribir por escribir. Claro, luego pienso en la posibilidad de una publicación, con la premisa de que todo lo escrito quiere ser leído.

Escribes poesía, ¿para qué? ¿Para quién?
Escribo poesía para un lector, no sé responder otra cosa. Escribo poesía para decir algo a alguien que muchas veces no conozco. La escribo como una forma de ser otro, también, y eso me fascina. Como dije antes, la escribo para permanecer; la escribo para la posteridad, siempre; la escribo con la intención de que alguien, en su reflexión, dialogue con "ese autor que escribió tal cosa" y se identifique y reflexione y se pregunte lo que yo me pregunto cuando leo a otro autor que escribió tal cosa. Escribo para eliminar ansiedades, también.

¿Desde qué perspectiva lo haces: canónica o marginal, central o periférica, tradicional o contemporánea?
Planteo la escritura de mis libros sin pensar en esas "perspectivas". Debe haber un ejercicio crítico que catalogue y valore lo que escribo, pero eso surge después de la escritura. Antes de pensar en limitaciones estéticas o estilísticas, como lo mandan los cánones de la literatura mexicana,

que sugieren cierta unidad temática, de atmósfera o de estilo, incluso ciertas cuartillas, redacto lo planteado en mi proceso escritural de manera libre, es decir, a mi manera; sí me considero un poeta que trabaja una temática (sea cual sea) y a partir de eso escribe sus textos: leo, pregunto, escarbo; pero eso es quizás por mi afán de profundizar en algo y exprimirlo, poetizarlo, y por mi idea de que ya todo está escrito y es necesario dar forma a los fondos ya explorados. Unos lo llaman seguir la tradición, otros romperla: me da lo mismo. Y me dan lo mismo los regionalismos y los estigmatismos. Los poetas tienen sus búsquedas, los de Chiapas, los de Monterrey, los Jalisco, los defeños, los bajacalifornianos, etc. Todos hablan de algo, son canónicos, centrales, contemporáneos, marginales, periféricos, tradicionales, y agrego cinco etcéteras más. Yo no me fijo en eso. La poesía es un ente universal.

En todo caso, ¿qué clase de poeta eres según tu propio criterio?
Un poeta comprometido con su ejercicio. Un poeta no improvisado. Un poeta al que no le gusta drogarse para escribir (aunque sí me aviento una chela cuando escribo). Un poeta romántico tomando en consideración la idea romántica de la palabra romántico. Un poeta que no elige la hora de escribir. Un poeta en continuo aprendizaje. Un poeta que asume la responsabilidad de sus palabras y de su posición en la sociedad como poeta.

¿Cómo defines tu obra poética en el contexto de la poesía bajacaliforniana, mexicana, actual?

Una obra emergente dentro de la emergente tradición bajacaliforniana que apenas emerge en la tradición
mexicana.

**Frente a otros géneros literarios, como la narrativa o el
ensayo, la poesía en Baja California ¿qué da a sus lectores?**
En Baja California, y proyectados hacia el afuera, el ensayo y la narrativa nos han regalado obras de presumible calidad: dígase Sada, Campbell, Salcedo, Yépez, Berumen,
Saavedra, Crosthwaite, Trujillo, Ortega, Conde, Swain,
González Cárdenas, Valenzuela, Quezada, Espinoza, Ilich,
Di Bella, etc.; no obstante, la poesía en Baja California es
diversa en cuanto a sus propuestas y eso la enriquece. Puedo mencionar, de forma simple, la biodiversidad: el poeta
de Mexicali en una o más ocasiones, escribió, escribe o es-
cribirá sobre su condición desértica, el de Ensenada sobre
su calidad de portuario romántico, el de Tecate no sé, y el
de Tijuana sobre su atmósfera múltiple: migratoria, urbana, violenta, sexy y licenciosa. La poesía en el estado es va-
riada y creo que esto se debe al carácter homogéneo de la
sociedad que aquí habita; la poesía bajacaliforniana es desierto, mar, tierra, piedra y lujuria: es dionisiaca.

¿Qué aporta a la fiesta de la palabra?,
La lujuria y la conversación intensa. Sería bueno aportar un granito de arena a la historia de la literatura
bajacaliforniana.

¿Qué temas domina?
Intento no repetirme en cuanto a las temáticas, partien-
do de la premisa de que todo se puede "poetizar"; pero

sucede que en el planteamiento de un tópico de forma irremediable se asoman y se enredan conceptos tradicionales como la muerte, el amor, el tiempo, etc. Siento que esto es un fenómeno que a todos nos pasa, intencional o accidentalmente, incluso a los más radicales en cuanto sus propuestas. Creo que, al final, son los temas que nos convocan y nos someten con su poderosa autoridad. Son nuestra moral, nuestra estética, nuestra racionalidad y nuestra fe.

Por otra parte, y de manera más específica, he escrito sobre diversos tópicos: indigentes, inmigrantes, asesinos seriales, cazadores, samuráis, suicidas, superhéroes, mujeres, televisión, rutina, mitología y religión, entre otras "cosas".

En términos de libertad expresiva, de experimentación verbal, de rigor imaginativo, ¿cómo ves la situación de la poesía bajacaliforniana del siglo XXI? ¿Qué le falta y qué le sobra? ¿Cómo te ubicas en ella?

Veo una especial efervescencia por el ejercicio poético, incluso llevado éste más allá de la misma escritura. Existen propuestas de todos tipos, multiculturales, multidisciplinarias; se han formado colectivos, se han creado editoriales independientes, los festivales han cobrado una mayor relevancia, hay un impulso creativo y un diálogo afectivo con poéticas de otras latitudes; sin embargo, creo que falta crítica y, sobre todo, autocrítica. El fervor es desmedido; situación que se agradece porque motiva a la creación y eso no debe tener freno, pero brilla por su ausencia, lo reitero, la crítica literaria: falta un aparato crítico en la región.

Luis Alfredo Gastélum

En lo que a mí respecta, soy un poeta nacido en los 80's que produce su obra desde su propia estación. No pertenezco a un grupo literario o cultural específico y eso me brinda comodidad, alojamiento y alejamiento, tres elementos que considero indispensables para que mi proceso creativo se lleve a cabo como lo planeo. Soy muy autocrítico y acudo a veces a mis maestros para una retroalimentación, a mis lectores comunes para una auscultación y a mis amigos para alguna que otra bofetada. Yo respeto eso.

Escribir como nativo o residente del norte del país, de la frontera incluso, ¿en qué sentido condiciona tu escritura, ¿de qué forma reaccionas a esta realidad: evadiéndola, confrontándola, asumiéndola como propia?
No influye en mi escritura. Mi poesía no se presta a las circunstancias sociales o territoriales, al menos no toda. Creo que eso tiene lugar en la narrativa, al menos lo que he leído, salvo algunas excepciones la mayoría está supeditada a tópicos como la violencia, la corrupción, el narco, etc. Hay en Baja California narradores que han abordado estas temáticas, pero en la poesía lo he visto más como una denuncia, como un alarido. Ahí es donde ya no me interesa. No intento divinizar a la poesía, pero mi afán en cuanto a su escritura es universal, podría decir que ajeno a mi idiosincrasia, incluso (en mi primer libro lo hice) si escribo sobre la ciudad en la que habito. Si escribiera narrativa, consideraría mis orígenes, mis costumbres y mi entorno, creo que lo haría. Bueno, ahora digo esto, quizás, después, me contradiga.

¿Qué diferencias hay entre escribir poesía en Baja California o fuera de Baja California? ¿Las distancias ayudan a comprender mejor tus propios orígenes, a entender mejor los lazos afectivos, sensibles, conceptuales que te unen a la matria peninsular?
Desde que escribo lo hago en la entidad. Sí he escrito, literalmente, poemas fuera del estado, pero considero que no es esencial en ningún sentido. Ese carácter flexible de la escritura de poesía es lo que más me impulsa a escribirla: podré escribir poemas en cualquier parte del mundo a cualquier hora y en cualquier edad tomando en cuenta que habrá salud y tiempo libre.

De tus libros publicados, ¿cuál es el que consideras sea el más fiel a tu experiencia vital, a tus búsquedas creativas y por qué?
Mis libros son diferentes y obedecen a distintas posibilidades estilísticas y temáticas. El primero, *Santa Maguana Motel* (Chuparrosa/UABC, 2008) fue una temprana incursión en el género con búsquedas más cercanas a la poesía de corte urbano y surrealista, una colección de poemas sobre la ciudad de Tijuana y sus personajes con evidentes falencias y guiños de altanería frecuentes en la ópera prima de un poeta en ciernes. "De corte neobarroco" se dijo por ahí, y aún sigo sin estar de acuerdo con eso. En *Heredad de piedras* (FEBC, 2011) mi experiencia escritural se relacionó épicamente con mi experiencia vital. Un viaje, un desamor y los 27 años (tan cercanos a la muerte), me dieron la venia de escribir un libro muy personal en el que manejé temáticas trascendentales como el olvido, la muerte y la permanencia. Cosas muy serias. Un

libro "serio", que se diferenció en cuanto al libro anterior y me definió (en ese momento) como un poeta de corte tradicional, partidario de las formas, de las sílabas, de los hemistiquios, de las sinalefas y los hiatos. Puedo decir: un libro verde, blanco y negro. Sin embargo, el que considero más fiel a mis búsquedas es *Señor Couch Potato* (FETA, 2012), un libro que se ampara en un tema trivial como el hecho de estar sentado en un sofá frente a un televisor, pero en el que la forma y los conceptos que se entrometen son lo esencial, lo que sostiene al *iceberg*. Es mi mezcla predilecta: un fondo polémico y exclusivo, con muchas ramificaciones, casado con una forma comprometida y a veces, disoluta, dependiente al cien por cien del tema y sus extremidades. Me gustan las mezclas paradójicas.

¿Cómo ves a la poesía que se hace en la frontera norte, en Baja California específicamente?

Hay producción literaria y esto se agradece; no obstante, vislumbro un cruce de caminos: por una parte, existe en los poetas jóvenes una celeridad desenfocada por fabricarse un prestigio, y si lo llevo más abajo, por "destacar". Esta urgencia, sin duda, deriva en que muchas obras se publican sin una valoración rigurosa y la calidad deja que desear: faltan tijeras, algunos Ezra Pound. Por otra parte, veo en los "poetas mayores" del estado, por llamarlos de una manera ya sea por su edad y/o trayectoria, que algunos siguen produciendo, pero otros viven de sus laureles. No hablo de un estancamiento, pero sí de una zona de confort, salvo algunas excepciones. Como lector, disfruto leer a mis contemporáneos, pero la mayoría proviene de otras ciudades y si leo a los poetas mayores de esta región, son sólo algunos los que me provocan deleite.

La generación de finales de los setenta y ochenta, a la que pertenezco, sigue siendo una "promesa" en cuanto a la calidad de su producción literaria. Se generan textos, se participa en festivales, por ahí se obtiene algún premio, pero para hablar de una generación, una verdadera generación que destaque dentro del panorama nacional, creo estamos lejos. Hay otros estados que llevan la delantera: Nuevo León, Jalisco, Chiapas, y desde luego, el Distrito Federal.

Lastimosamente la literatura mexicana es resultadista, y si un poeta no destaca en los dictámenes no es un buen poeta. Por eso surge la auto publicación, la auto presentación, y es ahí donde la crítica, vuelvo al tema, es la que no destaca. La poesía en Baja California, en mi opinión, debe prestarse al rigor imaginativo, verbal, pero también al rigor crítico. La poesía en el estado es como una señorita en un concurso de belleza que no gana la banda ni la corona, ni está en entre las finalistas, porque en su estado la adulación es excesiva, erróneamente excesiva, y los jueces son sus propios amigos.

¿Qué poetas de la entidad han aportado obras significativas y cuáles han sido sus aportaciones fundamentales a la lírica nacional?
Lo diré a mi completo gusto: Jorge Ortega; hay otros poetas, puedo mencionar algunos que me parece caben dentro del rubro "han aportado a la lírica nacional", pero eso lo veo como una delimitación muy seria. Por eso me decanto por uno sólo ¿qué aporta Jorge? No haré

una reseña de su obra o enunciaré una semblanza, pero es simplemente un poeta con oficio que se ha "casado con la suya"; es partidario de las formas, y por decirlo de alguna manera, "ha caminado, cantando, derechito". Se le ha catalogado como neobarroco, costumbrista y poco novedoso en cuanto a sus temas, no obstante, encuentra en su poética una manera preciosista y preciosa de traducir lo que pensamos. Bueno, digo que me ha gustado leer y escuchar a Roberto Castillo, Raúl Linares, Alfonso García Cortés, Víctor Soto, Omar Pimienta, Teresa Avedoy, Yohanna Jaramillo, José Javier Villareal, Gabriel Trujillo, Pancho Morales, Flora Calderón, Eduardo Arellano (QEPD), Elizabeth Cazessús, Paty Blake, Carlos Adolfo Gutiérrez Vidal, Luis Cortés Bargalló, Antonio León, Jhonnatan Curiel, entre otros.

¿Qué tendencias predominan hoy en día en la poesía bajacaliforniana contemporánea?
Sigo viendo que las poéticas no han cambiado. Y como he dicho, hay dos vertientes. Los poetas con tiempo en el "ámbito" siguen siendo los mismos, mantienen su fórmula, no se diferencian mucho en relación a su obra anterior. No veo en los poetas mayores una nueva propuesta, al menos no ha llegado a mis manos. En cambio, en los jóvenes, al menos en Tijuana, vislumbro ciertas tendencias: poesía conversacional, de protesta, visual incluso, y un poco menos con tendencia a lo tradicional. Esta multiplicidad de estilos es bienvenida. En cuanto a las temáticas, leo mucho de urbanidad, de migración, desierto y mar (temas propios de nuestra atmósfera), y en otro tenor he leído poetas que prefieren lo meramente

existencial. Y es así y así será. En nuestro proceso creativo no estamos exentos de los que nos arroja el entorno y de lo que nos congrega con nosotros mismos.

Creo que las generaciones se establecen cada 10 o 15 años, y ahora mismo en el estado hay una generación (los nacidos en los ochenta o finales de los setenta) que poco a poco se establece. Pero para permanecer necesitamos crear y crear mucho y de buena calidad. Considero indispensable y urgente que las antologías en realidad utilicen criterios que favorezcan la calidad de la obra y no el amiguismo, que los libros de autopublicación cuenten no con uno ni dos sino más tutores, que las instituciones de cultura no oculten la poesía en sus bolsas cangureras y que la poesía, en el estado, sea más genuina. A veces creemos que hablar de un tema inhóspito o minimalista es novedad, que intentar efectos visuales es novedad, que gritar o desnudarse es novedad; considero, desde mi sitio, que la poesía, el ejercicio de escribir poesía, se debe más a establecer un diálogo genuino con lo que vivimos intra e interpersonalmente, con la escritura que nos precede y con lo que nos espera.

¿Hay estudios sobre tu obra y si no hay qué impacto tiene la falta de un aparato crítico alrededor de la práctica poética de un poeta como tú?
Eso corresponde a cualquiera que forma parte de la literatura en cualquiera de sus eslabones. En cuanto al estudio de mi obra, eso dependerá de la calidad de mi producción literaria y de mis lectores. No hay en el estado un ejercicio en cuanto a la escritura de reseña. La crítica literaria en Baja California, para los autores de la entidad, se basa

en la amistad o en el compromiso de presentar un libro. Se escribe sobre la obra del otro cuando hay una oportunidad y no cuando hay una necesidad. Muy pocos experimentan esa necesidad. No hay reseñistas. La obra necesita legitimarse, valorarse, sin la aureola de un premio o la prerrogativa de una beca; incluso, si la obra es premiada, ocupa eso, existir después de ser presentada. Muchas obras premiadas viven su momento de fama y luego desaparecen. En la academia siempre se eligen los mismos autores. Muchos estudiantes o académicos son tradicionales y se ciñen al canon. Debe existir un momento para escarbar. Utilizando una analogía futbolera, debemos echar un vistazo a la cantera, a las fuerzas básicas, y exigir a las grandes estrellas un golpe de calidad y no un golpe de autoridad, todos debemos actualizarnos y producir hasta agotar las fuerzas.

Las peculiaridades de la poesía de la entidad —clima inhóspito, urbes con distinta personalidad, el espacio fronterizo, la escasez de publicaciones—, ¿cómo influyen en la escritura poética?

Desde que uno nace o reside por largo tiempo en estos rumbos vive inmerso en una atmósfera radical y diversa. El entorno sugiere escritura en toda anchura. Escribir desde el norte es escribir desde la abundancia y la austeridad: hay aquí una paradoja; no obstante, necesaria. La abundancia no es forzosamente económica, es temática, un caleidoscopio donde la realidad nos abraza y nos arroja una diversidad y biodiversidad de escenarios, multicultural, binacional. Ahí radica la riqueza de nuestra región para los que escribimos. Respecto a la austeridad, también se nos presenta de la misma manera y de dos formas. Una por el lado austero de nuestra región y sus realidades sociales y otra referente a la lejanía de la literatura en cuanto al núcleo literario. Es antedicho que la literatura está en un estado de centralización que no concede oportunidad, sin embargo, en los últimos años, se denotan diversas "centralizaciones": el norte, sureste, el sur, y Jalisco.

En este sentido mi escritura no claudica. Considero que el quehacer literario parte de la intimidad, de las contemplaciones y vivencias de un "yo"; uno mismo reproduce una órbita desde su propio telescopio. Por mi parte, planteo mi escritura con un afán universal (ya lo he repetido) y no enclaustrado en los tópicos tradicionales de nuestro hábitat: migración, desierto, mar, violencia. Antes he dicho que siempre nos traicionan los temas tradicionales y que éstos mantienen una hegemonía en nuestra experiencia vital y verbal, pero es precisamente por esto que mi manera de escribir y lo que he escrito hasta hoy se ha caracterizado por explorar una situación específica sin abandonar las filiaciones tradicionales. La influencia de la atmósfera bajacaliforniana en mi escritura se queda en sus fronteras.

Ya no vivimos en la era de la divinización del poeta, de la sacralización de la poesía. Ahora se escribe desde la cotidianidad de cada quien, desde la realidad de cada uno. La poesía radica hoy en un discurso más directo y personal, en la plaza pública, en las redes sociales, en la democracia de las palabras. ¿Cómo la vives tú? ¿Cómo la difundes al mundo?

Vivo la poesía consciente de que cada elemento que me rodea reclama un poema, pero no soy tan múltiple y por eso agradezco cuando descubro nuevas propuestas. Vivir la poesía para mí es una responsabilidad y me gusta asumirla porque me confronta conmigo mismo y con mi entorno. La escritura de poesía me retrae (no soy de pertenecer a un grupo específico ni de anunciarlo a todo mundo) y encuentro un placer inenarrable cuando esa estancia en mi "torre de marfil" da frutos. Por otra parte, sigue presente en mí la idea romántica del libro impreso. Aún no me adapto a las nuevas plataformas, Blog, eBook, redes sociales, entre otras, que en teoría pueden alcanzar una mayor difusión que el libro impreso. No sé. Aún siento que el libro, físicamente, sigue siendo una tierra firme la cual puede uno palpar, habitar, oler. En fin, el libro impreso sigue siendo una *compañía insuperable* para mí.

En una sociedad como la nuestra, tan pragmática, tan consumista, plena de modas efímeras, ¿aún hay espacio para la poesía o ésta sigue siendo una actividad minoritaria, un culto académico, una secta protegida institucionalmente, pero sin repercusiones en la sociedad en general?
Creo que quien escribe poesía está supeditado a la misma naturaleza del género, es decir, a la escasez de lectores y a que la poesía es vista como un evento en *pay per view,* donde nadie paga porque el género no goza de popularidad. La escritura de poesía no es miserable, se da en cada ámbito y por eso no considero que sea una actividad minoritaria. Todo mundo escribe poesía, buena o mala, como hobby o con rigor estético, en un diario o en una

publicación, en una servilleta o en la red. Lo que se observa aquí es una escena en la que la oferta y la demanda son los personajes principales, protagonista y antagonista. Hay mucha poesía, mucha oferta, pero pocos lectores, poca demanda. Y esto tiene sus cimientos desde las aulas o en el mismo núcleo familiar. No hay una cultura de la lectura de poesía, no sabemos leerla, no la vemos en todas partes, consideramos que sólo es para intelectuales o para personas con elasticidad emocional. Y lo anterior, es un padecimiento mayor que no sólo se subordina a la poesía, sino a los demás géneros, y esto repercute en que la producción literaria continúa y continuará postulándose como una actividad de algunos. Para un poeta en ciernes, esto es una problemática, pues los espacios se cierran, y la publicación, como un evento comercial, muchas veces no genera utilidad, y como un evento cultural, genera una expectativa destinada a grupúsculos o a un porcentaje de la sociedad muy limitado.

¿Con qué clase de interlocutores cuenta tu poesía? ¿A quién se dirige aparte de ti mismo o del círculo que la frecuenta y practica como creación literaria?
Pensando en mis lectores, pienso que uno como "Poeta Joven" (según Conaculta), depende de la editorial en turno, de la difusión que ésta realiza de los autores de su catálogo y de la distribución y promoción de las obras. La lectura de mi obra se ha dado gracias a la difusión personal, a las editoriales y a las presentaciones nacionales o locales que he realizado. Eso es importante: presentar, mostrar, hacer creer a la gente que lo que uno escribe merece la pena y que el interlocutor se identifique con lo escrito

y que encuentre con el texto una relación con su historia personal. Es necesario establecer un diálogo, y éste debe ser, también, con mis similares, porque un poeta necesita la interlocución, la convivencia y la crítica, con el lector afín o de la misma comunidad, y con el lector común, porque la multiplicidad de la poesía debe prestarse a los ojos que la observan y a todas las posibilidades sensoriales. Mis lectores han de ser como yo, con las mismas inquietudes, miedos, contrariedades, vértigos, regocijos y, sobre todo, con el mismo afán de inventar la realidad.

SEMBLANZAS

Valdemar Jiménez Solís (Mexicali, 1926). Poeta, periodista y maestro normalista egresado del Instituto de Agua Caliente. Forma parte de la generación de escritores de la Californidad (1960-1972), que se interesó en cantarle a la vida regional. Su poemario más conocido es *¡Grito! Clamor desesperado* (1973) y el más reciente es *En la siembra* (2015).

María Edma Gómez Romero (Ciudad de México, 1945). Poeta y editora de la revista Aquilón. Coordinadora de talleres de creación literaria y lecturas del ICBC en Mexicali. Entre sus poemarios destacan *Las voces del silencio* (1988), *Imágenes de luz* (1993) y *Yo no soy Eva* (1996).

Jorge Ruiz Dueñas (Jalisco, 1946). Poeta que vivió en Ensenada antes de migrar a la ciudad de México. Entre su vasta obra destacan los libros *Espiga abierta* (1968), *Tierra final* (1980), *El desierto jubiloso* (1995), *Carta de rumbos* (1998) y *Las restricciones del cuerpo* (2009). Por su obra poética obtuvo el premio Xavier Villaurrutia en 1998.

Víctor Soto Ferrel (Durango, 1948). Poeta perteneciente a la generación de la ruptura, la de los talleres de creación literaria. Forma parte de la antología *Siete poetas jóvenes de Tijuana* (1974) de Jesús Cueva Pelayo. Su obra se concentra en los poemarios *Sal del espejo* (1982), *La casa del centro* (2001) y *Arena oscura* (2015).

Lauro Acevedo (Durango, 1951). Llega de joven al puerto de Ensenada. Profesor universitario y promotor cultural. Formó parte de la editorial Mar de fondo. Entre sus libros más reconocidos están *Ignoto mar* (1990), *Los magos leerán en el agua* (1991), *Desconocido mar* (1992) y *Eterna brevedad* (2014).

Roberto Castillo Udiarte (Tecate, 1951). Con su libro *Blues cola de lagarto* (1985), Castillo inaugura una vertiente popular, fronteriza, de la literatura bajacaliforniana, que continúa y supera en obras posteriores como *Cartografía del alma* (1987), *Nuestras vidas son otras* (1994) y *Cuervo de luz* (2005).

Luis Cortés Bargalló (Tijuana, 1952). Poeta y editor. De 1974 a 1975 dirigió el taller de poesía de la UABC en Tijuana. Vive desde joven en la ciudad de México. Entre sus obras poéticas sobresalen *Terrario* (1979), *El circo silencioso* (1985), *La soledad del polo* (1990), *Al margen indomable* (1996), *Filos de un haz y un envés* (2007) y *La lámpara hacia abajo* (2017)

Gabriel Trujillo Muñoz (Mexicali, 1958). Poeta, narrador y ensayista. Entre sus poemarios están *Percepciones* (1983), *Moridero* (1987), *Atisbos* (1991), *Don de lenguas* (1995), *Constelaciones* (1996), *Rastrojo* (2000), *Bordertown* (2004), *Civilización* (2009), *Poemas civiles* (2012), *Las sombras que la luz invoca* (2015), *Luces encendidas* (2016) y *Periferia* (2016).

José Javier Villarreal (Tijuana, 1959). Poeta, editor y profesor de la UANL. Gana el Premio nacional de Poesía Aguascalientes con su primer libro, *Mar del norte* (1987). Entre sus poemarios principales están *La procesión* (1991), *Portuaria* (1994), *Noche de fundaciones* (1996), *Deseos* (2003), *La santa* (2007) y *Campo Alaska* (2012).

Elizabeth Cazessús (Tijuana, 1960). Periodista, performancera y promotora cultural. Poeta que reúne la visión de lo cotidiano con la reivindicación del género femenino como creación poética. Entre sus libros principales están *Ritual y canto* (1994), *Veinte apuntes antes de dormir* (1998), *Huella en el agua* (2000), *Mujer de sal* (2000) y *Hojarasca del silencio* (2016), entre muchos otros.

Rael Salvador Vargas (Ensenada, 1963). Poeta, periodista y promotor cultural. Autor de uno de los libros malditos de la poesía bajacaliforniana: *Pandemonium* (1990). Otros libros suyos son *Te metes, tiras y sales* (1995) y *Claridad y cortesía* (2015). Fue coordinador del suplemento Palabra del diario *El Vigía* en Ensenada hasta 2016.

Martha Nélida Ruiz (Tijuana, 1964). Poeta y promotora cultural. Doctora en Ciencias de la comunicación social. Reconocida educadora en el ámbito latinoamericano. Entre sus poemarios más conocidos están *Espejo de sombras* (1997), *La voz en el espejo* (2001), *El espejo vacío* (2003) y *Después del incendio* (2016).

Jorge Ortega (Mexicali, 1972). Poeta y ensayista. Doctor en Filología y catedrático del Cetys Universidad en

Mexicali. Entre sus libros básicos están *Crepitaciones de junio* (1992), *Deserción de los hábitos* (1997), *Mudar de casa* (2001), *Ajedrez del polvo* (2002), *Estado del tiempo* (2005) y *Guía de forasteros* (2015).

Raúl Fernando Linares (Mexicali, 1973). Poeta del lenguaje como juego vital. Entre sus poemarios están *Atanor, tres de la tarde* (2003), *Zoofismas* (2004), *Minotaura que germine* (2008) y *Topos en bisel* (2012).

Heriberto Yépez (Tijuana, 1974). Poeta, narrador, ensayista, traductor, filósofo, terapeuta y periodista cultural. Catedrático de la UABC en la Facultad de Artes en Tijuana. Su obra se decanta hacia la experiencia del lenguaje. Entre sus poemarios principales están *El órgano de la risa* (2008), *Contrapoemas* (2009) y *El libro de lo post-poético* (2012).

Patricia Blake (Sonora, 1978). Vive en Tijuana desde 1982. Poeta, promotora cultural y periodista. Licenciada en Comunicación por la UABC. Entre sus poemarios están *El árbol* (2002), *Amanecer de viaje* (2006) y *Ciudad A* (2011).

Luis Alfredo Gastélum (Sinaloa, 1982). Radica en Tijuana en 1993. Entre sus poemarios destacan *Santa Maguana Motel* (2008) y *Heredad de piedras* (2011), con este último libro ganó el Premio Estatal de Literatura en el género de poesía.

Índice

Voces reunidas, de Gabriel Trujillo Muñoz y Adolfo
Soto Curiel, fue impreso en abril de 2017, en los ta-
lleres de Artificios Media, S.A. de C.V. (Abelardo L.
Rodríguez 747, Col. Maestros Federales, Mexicali,
Baja California). El tiraje consta de 500 ejemplares.